SETE
TIPOS
DE
ATEÍSMO

JOHN GRAY
SETE TIPOS DE ATEÍSMO

**TRADUÇÃO DE
CLÓVIS MARQUES**

1ª edição

EDITORA RECORD
RIO DE JANEIRO • SÃO PAULO
2021

CIP-BRASIL. CATALOGAÇÃO NA PUBLICAÇÃO
SINDICATO NACIONAL DOS EDITORES DE LIVROS, RJ

G82s

Gray, John
Sete tipos de ateísmo / John Gray; tradução Clóvis Marques. – 1ª ed. –
Rio de Janeiro: Record, 2021.

Tradução de: Seven types of atheism
ISBN 978-85-01-11854-7

1. Ateísmo. 2. Agnosticismo. 3. Filosofia e religião. I. Marques, Clóvis. II. Título.

20-64494

CDD: 211.8
CDU: 299.2

Meri Gleice Rodrigues de Souza – Bibliotecária CRB-7/6439

Copyright © John Gray, 2018

Título original em inglês: Seven types of atheism

Todos os direitos reservados. Proibida a reprodução, armazenamento ou transmissão de partes deste livro, através de quaisquer meios, sem prévia autorização por escrito.

Texto revisado segundo o novo Acordo Ortográfico da Língua Portuguesa.

Direitos exclusivos de publicação em língua portuguesa para o Brasil
adquiridos pela
EDITORA RECORD LTDA.
Rua Argentina, 171 – 20921-380 – Rio de Janeiro, RJ – Tel.: (21) 2585-2000, que se reserva a propriedade literária desta tradução.

Impresso no Brasil

ISBN 978-85-01-11854-7

EDITORA AFILIADA

Seja um leitor preferencial Record.
Cadastre-se em www.record.com.br
e receba informações sobre nossos
lançamentos e nossas promoções.

Atendimento e venda direta ao leitor:
sac@record.com.br

Sumário

Introdução: Como ser ateu   7
O que a religião não é — Sete tipos de ateísmo

1. O novo ateísmo: Uma ortodoxia novecentista   15
   O Grande Pontífice da Humanidade — Por que a ciência não pode
   refutar a religião — A verdadeira ameaça ao monoteísmo — Novo
   ateísmo e velho iliberalismo

2. Humanismo secular, uma relíquia sagrada   33
   Progresso, um mito cristão — Platão para as massas — John Stuart
   Mill, o santo do racionalismo — Bertrand Russell, cético contra a
   vontade — De Nietzsche a Ayn Rand

3. Uma estranha fé na ciência   65
   Evolução *versus* ética — Racismo e antissemitismo no Iluminismo —
   O mesmerismo, primeira religião da ciência — A ciência e a abolição
   do homem — O transumanismo como tecnomonoteísmo

4. Ateísmo, gnosticismo e a moderna religião política   85
   Milenarismo e gnosticismo na tradição ocidental — A Münster de
   Jan Bockelson: uma primitiva teocracia comunista moderna — O

jacobinismo, primeira religião política moderna — O bolchevismo: esperanças milenaristas, visões gnósticas — Bockelson, Hitler e os nazistas — Liberalismo evangélico

5. Os que odeiam Deus   111
O marquês de Sade e a sombria divindade da Natureza — Ivã Karamazov devolve a entrada — William Empson: Deus como comandante de Belsen

6. Ateísmo sem progresso   143
George Santayana, um ateu que amava a religião — Joseph Conrad e o mar sem Deus

7. O ateísmo do silêncio   163
O ateísmo místico de Arthur Schopenhauer — Duas teologias negativas: Benedict Spinoza e Lev Shestov

Conclusão: Viver sem crença nem descrença   181

Agradecimentos   183
Notas   185

Introdução
Como ser ateu

O ateísmo contemporâneo é uma fuga de um mundo sem Deus. A vida sem qualquer poder capaz de garantir a ordem ou alguma forma de justiça final é uma perspectiva assustadora e, para muitos, intolerável. Na ausência desse poder, os acontecimentos humanos podem se tornar caóticos, sendo impossível contar qualquer história que satisfaça a necessidade de significado. Lutando para evitar essa visão, os ateus têm buscado substitutos do Deus que abandonaram. O progresso da humanidade tomou o lugar da crença na providência divina. Mas essa fé na humanidade só faz sentido se der continuidade a formas de pensar herdadas do monoteísmo. A ideia de que a espécie humana concretiza metas comuns ao longo da história é um avatar secular de uma noção religiosa de redenção.

O ateísmo nem sempre foi assim. Paralelamente aos muitos que buscavam uma deidade substituta para preencher o vazio deixado pelo Deus que se foi, alguns se distanciaram completamente do monoteísmo, encontrando dessa forma liberdade e realização. Sem buscar um significado cósmico, eles se contentavam com o mundo tal como se apresentava.

Nem todos os ateus tentam converter os outros à sua visão das coisas. Alguns se mostram receptivos a formas tradicionais de fé, preferindo o culto a um Deus que consideram fictício a uma religião da humanidade. Hoje em dia, em sua maioria, os ateus são liberais, acreditando que a espécie lentamente abre caminho para um mundo melhor; mas o liberalismo moderno é uma flor tardia da religião judaica e cristã, e no passado a maior parte dos ateus não era liberal. Certos ateus se regozijam com a majestade do cosmo. Outros se alegram com os pequenos mundos que os seres humanos criam para si mesmos.

Embora os ateus possam considerar-se livres-pensadores, para muitos hoje em dia o ateísmo é um sistema de pensamento fechado. O que pode ser seu principal atrativo. Explorando formas mais antigas de ateísmo, é possível constatar que algumas das suas convicções mais firmes, sejam seculares ou religiosas, são altamente questionáveis. Se semelhante perspectiva o inquietar, o que você busca talvez seja não precisar mais pensar. Mas, se estiver disposto a deixar para trás as necessidades e expectativas que muitos ateus herdaram do monoteísmo, poderá constatar que se livrou de um fardo. Certas formas mais antigas de ateísmo são opressivas e claustrofóbicas, como boa parte do ateísmo de hoje. Outras podem se revelar libertadoras e revigorantes para aqueles que desejam uma nova perspectiva do mundo. Paradoxalmente, certas formas mais radicais de ateísmo no fim das contas podem não ser tão diferentes de certas variedades místicas da religião.

Definir o ateísmo é como tentar capturar a diversidade das religiões em uma única fórmula. Seguindo o poeta, crítico e ateu fervoroso William Empson, considero que a possibilidade de múltiplos significados é uma parte essencial de termos como "religião" e "ateísmo". Nem a religião nem o ateísmo têm algo parecido com uma essência. Para tomar de empréstimo uma analogia estabelecida pelo filósofo austro-britânico Ludwig Wittgenstein, os dois mais se parecem famílias ampliadas, exibindo semelhanças perfeitamente identificáveis, sem ter na verdade nenhuma característica em comum. Essa visão inspirou o pragmático americano William James ao escrever *As variedades da experiência religiosa*, o melhor livro sobre religião jamais escrito por um filósofo, e muito admirado por Wittgenstein.

Mas ainda assim poderia ser útil uma definição provisória do ateísmo, no mínimo para indicar a direção a ser tomada por este livro. Proponho então que um ateu seja todo aquele que não se interesse pela ideia de uma mente divina criadora do mundo. Nesse sentido, o ateísmo não vem a ser grande coisa. É simplesmente a ausência da ideia de um deus criador.

INTRODUÇÃO   9

Tal maneira de encarar o ateísmo tem precedentes. No antigo mundo europeu, ateísmo significava a recusa de práticas tradicionais de culto aos deuses do panteão politeísta. Os cristãos eram considerados "ateus" (em grego, *atheos*, que significa "sem deuses") porque cultuavam um deus único. Tal como hoje, ateísmo e monoteísmo eram então lados de uma mesma moeda.

Ao pensar no ateísmo nesses termos, você verá que não é o mesmo que rejeição da religião. Para a maioria dos seres humanos, a religião sempre consistiu antes em práticas do que em crenças. No Império Romano, a exigência de que os cristãos seguissem a religião romana (*religio*, em latim) significava participação nas cerimônias. O que incluía atos de culto a deuses pagãos, mas nada era exigido em termos de crença. A palavra "pagão" (*pagani*) é uma invenção cristã aplicada no início do século IV aos que seguiam essas práticas.[1] O "paganismo" não era um credo (para começo de conversa, aqueles que eram considerados pagãos não tinham um conceito de heresia), mas um amontoado de práticas.

Também pode ser interessante aqui adotarmos uma definição provisória de religião. Muitas práticas reconhecidas como religiosas expressam a necessidade de conferir sentido à passagem do homem pelo mundo. "Nascer, copular e morrer" pode ser, afinal, tudo o que existe. Como diz Sweeney em *Fragmento de um Agon*, de T. S. Eliot, "são estes os fatos no frigir dos ovos". Mas os seres humanos têm se mostrado relutantes em aceitá-los, lutando por atribuir algum significado mais que humano à própria vida. Dessa necessidade de significado dão testemunho animistas tribais e praticantes religiosos em todo o mundo, devotos de cultos a discos voadores e exércitos de fanáticos que têm matado e morrido pelas modernas fés seculares. Em sua reverenciosa invocação do progresso da espécie, a descrença evangélica dos últimos tempos obedece ao mesmo impulso. A religião é uma tentativa de encontrar significado nos acontecimentos, e não uma teoria que tente explicar o universo.

Em vez de encarar o ateísmo como uma visão de mundo recorrente ao longo da história, devemos constatar que muitos ateísmos, com visões conflitantes do mundo, têm surgido. Na Grécia e na Roma, na Índia e na China da Antiguidade, havia escolas de pensamento que, sem negar que existissem deuses, estavam convencidas de que eles não se preocupavam com os seres humanos. Algumas desenvolveram as primeiras versões da filosofia segundo a qual tudo no mundo é matéria. Outras se eximiam de especular sobre a natureza das coisas. O poeta romano Lucrécio considerava que o universo era formado por "átomos e o vazio", ao passo que o místico chinês Chuang Tzu seguia o sábio taoista Lao Tsé (possivelmente uma figura mítica), na convicção de que o mundo funcionava de um modo que não estaria ao alcance da razão humana. Como sua visão das coisas não contemplava uma mente divina criadora do universo, ambos eram ateus. Mas nenhum dos dois se preocupava com "a existência de Deus", pois não tinham uma concepção de um deus criador a questionar ou rejeitar.

A religião é universal, ao passo que o monoteísmo é um culto local. Muitas culturas "primitivas" apresentam complexos mitos da criação, histórias sobre o surgimento do mundo. Algumas afirmam que ele emergiu do caos primordial; outras, que brotou de um ovo cósmico; e outras ainda, que se originou nas partes desmembradas de um deus morto. Mas são poucas as histórias que apresentam um deus responsável pela modelagem do universo. Pode haver deuses ou espíritos, mas eles não são sobrenaturais. No animismo, a religião original de toda a humanidade, o mundo natural está cheio de espíritos.

Se nem todas as religiões contêm a ideia de um deus criador, muitas tampouco apresentam qualquer ideia de uma alma imortal. Em certas religiões, como as que geraram a mitologia nórdica, os próprios deuses são mortais. Os politeístas gregos tinham a expectativa de uma vida após a morte, mas acreditavam que nela seriam encontradas as sombras de pessoas outrora existentes, e não essas mesmas pessoas em uma forma póstuma. O judaísmo bíblico concebia um submundo (Sheol) mais ou menos nos mesmos termos. Jesus prometia aos discípulos a salvação da morte, mas por meio da ressurreição de seus corpos carnais, aperfeiçoados de uma maneira divina. Certos ateus acreditavam que a personalidade humana tem prosseguimento após a morte corporal. Na época vitoriana e eduardiana, alguns pesquisadores da vida psíquica consideravam que a vida após a morte significava passar a uma outra parte do mundo natural.

Se existem muitas religiões diferentes, são muitos também os diferentes ateísmos. No século XXI, o ateísmo é quase sempre um tipo de materialismo.

INTRODUÇÃO

Mas essa é apenas uma das muitas visões de mundo dos ateus. Alguns deles, como o filósofo alemão novecentista Arthur Schopenhauer, consideravam que a matéria é uma ilusão, e a realidade, espiritual. Não existe algo parecido com uma "visão de mundo ateia". O ateísmo simplesmente exclui a ideia de que o mundo é obra de um Deus criador, o que não é encontrado na maioria das religiões.

O QUE A RELIGIÃO NÃO É

A ideia de que a religião é uma questão de crença é uma concepção estreita. Em que Homero "acreditava"? Ou os autores do *Mahabharata*? O conjunto de tradições a que os estudos ocidentais se referem como "hinduísmo" não apresenta qualquer credo predeterminado, como tampouco a mistura de religião popular e misticismo a que os mesmos estudiosos se referem como "taoismo".

A ideia de que as religiões são credos — conjuntos de proposições ou doutrinas que todos devem aceitar ou rejeitar — surgiu apenas com o cristianismo. A crença nunca foi tão importante quanto a observância na religião judaica. Em suas primeiras formas bíblicas, a religião praticada pelo povo judeu não era um tipo de monoteísmo (a afirmação de que existe apenas um Deus), mas de henoteísmo, o culto exclusivo a seu próprio Deus. O culto a deuses estranhos era condenado como uma forma de deslealdade, e não de descrença.

O cristianismo é uma religião de crença desde que foi inventado, porém surgiram tradições cristãs em que a crença não é um fator central. A ortodoxia oriental sustenta que Deus está além da concepção humana, visão que se desdobra na chamada teologia negativa ou apofática. Mesmo no cristianismo ocidental, "acreditar em Deus" nem sempre significa afirmar a existência de um ser sobrenatural. No século XIII, o teólogo católico Tomás de Aquino (1274) deixava claro que Deus não existe da mesma forma como qualquer coisa específica existe.

Na maioria das religiões, os debates sobre a crença não são importantes. A crença era irrelevante na religião pagã e ainda hoje continua desprovida de importância nas religiões indianas e chinesas. Quando se declaram descrentes, os ateus estão invocando uma compreensão da religião involuntariamente herdada do monoteísmo.

Diversas religiões que apresentam um Deus criador o imaginam de maneira muito diferente do Deus cultuado no judaísmo, no cristianismo e no islã. Desde o advento do cristianismo, a mente divina que supostamente teria criado o mundo muitas vezes é concebida como perfeitamente boa. Entretanto, as tradições gnósticas contemplavam um Deus supremo que criou o universo e depois se recolheu, entregando o governo do mundo a um deus inferior, ou Demiurgo, que poderia ser indiferente ou hostil à humanidade. Essas ideias gnósticas podem parecer absurdas, mas apresentam certas vantagens em relação a concepções mais tradicionais de um Ser Supremo. Antes de tudo, resolvem o "problema do mal". Se Deus é todo-poderoso e perfeitamente bom, por que existe o mal no mundo? Uma resposta habitual é que o mal é uma decorrência do livre-arbítrio, sem o qual não há verdadeira bondade. É a principal alegação da teodiceia (em grego, "justificação de Deus") cristã: a tentativa de explicar o mal como parte de um desígnio divino. Desenvolveu-se no ateísmo toda uma tradição contra a teodiceia, articulada de forma memorável no romance *Os irmãos Karamazov*, de Dostoievski, por Ivã Karamazov, que declara que, se uma criança torturada é o preço a ser pago pela bondade, ele vai devolver a Deus o bilhete de entrada no mundo. Examino esse tipo de ateísmo, às vezes chamado misoteísmo, ou ódio de Deus, no capítulo 5.

É um equívoco tomar o monoteísmo como modelo para religião. Desse modo, não se deixa de fora apenas o animismo e o politeísmo. Também são ignoradas as religiões não teístas. O budismo nada diz a respeito de uma mente divina, e rejeita toda ideia de alma. O mundo consiste em processos e acontecimentos. A noção humana de si é uma ilusão; a liberdade consiste em livrar-se dessa ilusão. O budismo popular conservou ideias de transmigração das almas que eram correntes na Índia na época de Buda, juntamente com a crença de que os méritos acumulados em uma vida podem ser transpostos a outra. Mas a ideia de karma por trás dessas crenças denota um processo impessoal de causa e efeito, mais que uma recompensa ou punição por parte de um Ser Supremo. Em momento algum o budismo se refere a um Ser dessa natureza, e na verdade trata-se de uma religião ateia. As invectivas e diatribes

INTRODUÇÃO   13

dos "novos ateus" só fazem sentido em um contexto especificamente cristão
e, mesmo assim, dentro de alguns poucos subsistemas da religião cristã.

SETE TIPOS DE ATEÍSMO

Em seu livro *Sete tipos de ambiguidade* (1930), Empson (cuja versão do ateísmo discutirei no capítulo 5) mostrava que a linguagem pode ser aberta sem ser equívoca. Segundo ele, a ambiguidade não é um defeito, mas parte integrante da riqueza da língua. Em vez de transmitir equívoco ou confusão, as expressões ambíguas nos permitem descrever um mundo fluido e paradoxal.

Empson aplicava essa descrição da ambiguidade sobretudo à poesia, mas ela também é reveladora no caso da religião e do ateísmo. Referindo-se à ambiguidade como "qualquer nuance verbal, por menor que seja, que abra espaço para reações alternativas à mesma manifestação linguística", ele observava que "qualquer afirmação em prosa pode ser considerada ambígua". A total clareza não existe. "Muito se pode fazer para tornar a poesia inteligível", escreveu Empson, "discutindo a resultante variedade de significados."[2] As nuances de significado é que tornavam possível a poesia. Em um livro posterior, *The Structure of Complex Words* (1951), Empson mostrava que as expressões aparentemente mais claras apresentavam uma "concentração de preceitos" que tornava equívoco o seu significado. Não existe uma simplicidade oculta por trás de palavras complexas. Intrinsecamente plurais no seu significado, as palavras facultam diferentes maneiras de ver o mundo.

Aplicando o método de Empson, vou examinar sete tipos de ateísmo. O primeiro, chamado "novo ateísmo", pouco contém de novo ou interessante. Após o capítulo inicial, não mais voltarei a ele. O segundo tipo é o humanismo secular, uma versão oca da crença cristã na salvação na história. Em terceiro lugar, temos o tipo de ateísmo que transforma a ciência em religião, categoria que inclui o humanismo evolucionista, o mesmerismo, o materialismo dialético e o transumanismo contemporâneo. Em quarto, as religiões políticas modernas, do jacobinismo ao liberalismo evangélico contemporâneo, passando pelo comunismo e o nazismo. Em quinto, temos o ateísmo dos que odeiam Deus, como o marquês de Sade, o personagem Ivã Karamazov, de

Dostoievski, e o próprio William Empson. Em sexto, examinarei os ateísmos de George Santayana e Joseph Conrad, que rejeitam a ideia de um deus criador sem qualquer compaixão para com a "humanidade". E finalmente, em sétimo lugar, veremos o ateísmo místico de Arthur Schopenhauer e as teologias negativas de Benedict Spinoza e do fideísta judeu russo, do início do século XX, Leo Shestov, todos apontando de diferentes maneiras para um Deus que transcende qualquer possibilidade de concepção humana.

Não tenho o menor interesse em converter quem quer que seja *a* ou *de* qualquer tipo desses ateísmos, mas minhas preferências ficarão claras. Avesso às cinco primeiras variedades, sinto-me atraído pelas duas últimas, formas de ateísmo que se dispõem a conviver com um mundo sem deus ou um Deus inominável.

1. O novo ateísmo:
Uma ortodoxia novecentista

Os novos ateus voltaram sua campanha contra um segmento restrito da religião, mas se mostraram incapazes de entender até mesmo essa pequena parte. Encarando a religião como um sistema de crenças, passaram a atacá--la como se não passasse de uma teoria científica obsoleta. Donde o "debate sobre Deus" — tediosa repetição de uma querela vitoriana entre ciência e religião. Mas a ideia de que a religião consiste em um amontoado de teorias desacreditadas é em si mesma uma teoria desacreditada: uma relíquia da filosofia novecentista do positivismo.

O GRANDE PONTÍFICE DA HUMANIDADE

A ideia de que a religião seria uma espécie primitiva de ciência foi popularizada pelo antropólogo J. G. Frazer em *O ramo de ouro: um estudo de religião comparada*, publicado originalmente em 1890. Seguindo o sociólogo e filósofo francês Auguste Comte, Frazer considerava que o pensamento humano se desenvolvera em três fases: a teológica, ou religiosa, a metafísico-filosófica, ou abstrata, e a científica ou positiva. A magia, a metafísica e a teologia pertenciam à infância da espécie. Ao se aproximar da idade adulta, a humanidade as deixaria para trás, aceitando a ciência como única autoridade em matéria de conhecimento e ética.

Essa maneira de pensar, chamada por Comte de "filosofia positiva", desenvolvia certas ideias de Henri de Saint-Simon (1760-1825), de quem Comte foi assistente por certo período. Saint-Simon teve uma vida turbulenta. Filho de uma família aristocrática empobrecida, ele foi encarcerado durante o Terror, na Revolução Francesa, enriqueceu especulando com terras nacionalizadas, dissipou sua riqueza na extravagância e na imprevidência, e viveu boa parte de seus últimos anos na pobreza. Como seu discípulo Comte, tinha tendência à depressão, e a certa altura tentou se matar com um tiro, mas ficou apenas cego de um olho.

Apesar dessas excentricidades, Saint-Simon era muito admirado. Identificado por Marx como um dos teóricos fundadores do socialismo, ele foi dos primeiros a entender que a industrialização acarretaria mudanças radicais na sociedade. Também foi pioneiro ao expor, em seu livro *Novo cristianismo* (1825), a religião da humanidade que seria promovida por Comte.

Essa nova fé não era invenção de Saint-Simon. Como veremos nos capítulos 2 e 3, ela se originou no fim do século XVIII nas obras dos *philosophes* franceses, tornando-se declaradamente religiosa no culto da razão após a Revolução Francesa. Mas foi Saint-Simon quem primeiro apresentou a religião da humanidade de forma sistemática. No futuro, os cientistas tomariam o lugar dos padres como líderes espirituais da sociedade. O governo seria uma simples questão de "administração das coisas". A religião haveria de se tornar um autoculto da humanidade.

Embora o primeiro a formular essa filosofia tenha sido Saint-Simon, foi Comte quem mais teve êxito em sua propagação. O culto por ele estabelecido foi praticamente esquecido, mas serviu de modelo para o humanismo secular promovido hoje em dia pelos ateus evangélicos.

Sob certos aspectos, Comte era mais inteligente que os pensadores seculares que o seguiram. E também meio louco. Reconhecendo que a necessidade da religião não desapareceria quando a sociedade fosse governada pela ciência, ele fundou uma igreja para atender a essa necessidade. A nova fé era dotada de uma hierarquia eclesiástica, um calendário organizado

O NOVO ATEÍSMO

em torno de figuras como Arquimedes e Descartes, um regime de práticas diárias (entre elas um ritual envolvendo tapinhas em partes do crânio, com base na ciência popular da frenologia) e uma Virgem Mãe inspirada em uma mulher casada por quem Comte se apaixonara, e de cuja morte precoce jamais se recuperou plenamente.

Em seu *Catecismo positivista* (1852), Comte estabeleceu os dogmas do novo credo. Havia sacramentos e locais de peregrinação positivistas. Foram concebidos trajes especiais, com abotoaduras nas costas, para não poderem ser vestidos sem ajuda de outros, o que contribuiria para promover o altruísmo (palavra inventada por Comte). Um Grande Pontífice da Humanidade reinaria em Paris. Comte certamente pretendia ocupar ele próprio o cargo. Com certeza se considerava uma pessoa de certa importância. Na cerimônia de seu casamento, assinou "Brutus Napoleão Comte". Em vida (nascido em 1798, ele morreu de câncer em 1857), não conseguiu alcançar a eminência com que sonhava. Mas sua igreja se espraiou da França à Grã--Bretanha e outros países europeus, e em seguida até a América Latina, onde continua em existência no Brasil, ao passo que sua filosofia teve profundo impacto em importantes pensadores do século XIX. Ainda hoje tem uma influência difusa, mesmo que não reconhecida.

Os novos ateus são discípulos involuntários da filosofia positivista de Comte. Para eles parece óbvio que a religião é uma forma primitiva de ciência. Mas em si mesma é esta uma visão primitiva, e uma observação de Wittgenstein a respeito de Frazer também se aplica a Richard Dawkins e seus seguidores: "Frazer é muito mais selvagem que a maioria de seus selvagens [...]. As *suas* explicações das práticas primitivas são muito mais grosseiras que o significado dessas práticas."[1]

O caráter primitivo do novo ateísmo se revela no conceito de que as religiões seriam hipóteses errôneas. A história do Gênesis não é uma teoria primitiva da origem das espécies. No século IV d.C., o teólogo fundador do cristianismo ocidental, Santo Agostinho, dedicou-se durante quinze anos à redação de um tratado sobre *O significado literal do Gênesis*, nunca concluído, no qual sustentava que o texto bíblico não deve ser entendido literalmente quando vai de encontro ao que sabemos, por outras fontes, ser verdadeiro. Antes de Agostinho, e de maneira mais radical, o filósofo judeu de língua grega Fílon de Alexandria apresentou o Gênesis como uma alegoria, ou mito, um entrelaçamento de imagens simbólicas e acontecimentos imaginários contendo significados que não poderiam ser facilmente expressos de outra maneira.

A história de Adão e Eva comendo da Árvore do Conhecimento é uma fantasia mítica a respeito das consequências ambíguas do conhecimento para a liberdade humana. Longe de ser intrinsecamente libertador, o conhecimento pode ser usado para fins de escravização. É o que se quer dizer quando, tendo comido a maçã proibida depois de ouvir da serpente a promessa de que se tornarão deuses, Adão e Eva são exilados do Jardim do Éden e condenados a uma vida de trabalho incessante. Ao contrário das teorias científicas, os mitos não são verdadeiros ou falsos. Mas eles podem ser mais ou menos verdadeiros para a experiência humana. O mito do Gênesis vem a ser uma tradução mais fiel dos permanentes conflitos humanos do que qualquer coisa na filosofia grega, que se baseia no mito de que o conhecimento e a bondade estão inseparavelmente ligados.

Em parte, a confusão entre mitos e teorias decorre do argumento teleológico sustentado pelos teístas. Do teólogo inglês oitocentista William Paley (famoso por ter comparado Deus a um relojoeiro) aos expoentes do criacionismo no século XXI, os apologistas do teísmo vêm tentando desenvolver teorias para explicar as origens do universo e da humanidade melhor que os relatos científicos dominantes. Assim, atribuem à ciência uma autoridade injustificada sobre outras formas de pensamento. Como a arte ou a poesia, a religião não pode ser considerada um tipo primitivo de ciência. A investigação científica atende a uma necessidade de explicação. A prática religiosa expressa um anseio de significado que continuaria insatisfeito, mesmo que tudo pudesse ser explicado.

POR QUE A CIÊNCIA NÃO PODE REFUTAR A RELIGIÃO

A ciência não é capaz de tomar o lugar de uma visão religiosa do mundo, pois não existe uma "visão de mundo científica". Sendo antes um método de investigação que um corpo de teorias, a ciência gera visões de mundo diferentes à medida que o conhecimento avança. Até ficar demonstrado por Darwin que as espécies mudam ao longo do tempo, a ciência apresentava um mundo de espécies fixas. Da mesma forma, a física clássica veio a ser sucedida pela mecânica quântica. Considera-se em geral que, um dia, a ciência vai gerar uma única e inalterável visão das coisas. É certo que algumas visões do mundo são eliminadas à medida que o conhecimento científico avança. Mas não há motivos para supor que o progresso da ciência chegue a um ponto em que reste apenas uma única visão de mundo.

Haverá quem diga que estamos entrando no terreno do relativismo: a alegação de que as visões do mundo não passam de construções culturais, nenhuma delas verdadeira ou falsa. Para contestar essa filosofia, afirma-se que a ciência é um exercício de descoberta das leis universais da natureza. Mas, a menos que se acredite que a mente humana espelha um cosmo racional — a convicção de Platão e dos estoicos, que contribuiu para modelar o cristianismo —, a ciência só pode ser uma ferramenta inventada pelo animal humano para lidar com um mundo que não é capaz de compreender com plenitude. Certamente nosso conhecimento vem se ampliando, e assim prosseguirá. Mas a ordem que aparentemente prevalece no nosso cantinho do universo pode ser local e efêmera, manifestando-se de forma aleatória para em seguida desaparecer. A própria ideia de que vivemos em um cosmo governado por leis talvez não seja muito mais que um legado, em vias de desaparecimento, da crença em um legislador divino.

E, sobretudo, a ciência não é capaz de refutar a religião demonstrando que se trata de uma ilusão. A filosofia racionalista, segundo a qual a religião representa um equívoco intelectual, vai fundamentalmente de encontro à investigação científica sobre a religião como atividade humana natural. Na religião pode estar envolvida a criação de ilusões. Mas nada na ciência garante que a ilusão não pode ser útil e mesmo indispensável na vida. A mente humana está programada para a sobrevivência, e não para a verdade. Em vez de gerar mentes capazes de enxergar o mundo com clareza cada vez maior, a evolução pode ter como efeito eximir a mente de qualquer visão clara das coisas. O resultado da investigação científica pode ser que a necessidade de ilusão esteja na essência humana. E o constante surgimento de religiões da ciência parece indicar que é exatamente esse o caso.

Os ateus que encaram as religiões como teorias equivocadas confundem fé — a confiança em uma força desconhecida — com crença. Mas, se existe algum problema na crença, ele não se limita à religião. Boa parte do que passa por conhecimento científico está tão sujeito à dúvida quanto os acontecimentos milagrosos encontrados nas fés tradicionais. Percorrendo as estantes de ciências sociais nas bibliotecas universitárias, mergulhamos em um mausoléu de teorias mortas. Essas teorias não foram para o além intelectual por terem sido desmentidas. Em sua maioria, sequer são falsas; apenas nebulosas demais para permitir qualquer verificação empírica. Quantas vezes não foram desmentidos sistemas de ideias, como o positivismo e o marxismo, que preveem o declínio da religião. Mas essas especulações pseudocientíficas perduram em uma vaga vida após a morte nas mentes de muitos que jamais ouviram falar das ideias de que decorreram.

Se o culto da ciência promovido por Comte no século XIX gerou um sucedâneo de religião associado à pseudociência da frenologia, Dawkins e seus discípulos enfeitaram o darwinismo como a pseudociência dos memes — unidades de informação que competem pela sobrevivência em um processo de seleção natural, como o que se que verifica nos genes. Não se identificou nenhum mecanismo pelo qual os memes pudessem replicar-se ou se transmitir dentro das culturas ou entre elas. Carecendo de unidade ou de um mecanismo de seleção, a teoria dos memes sequer chega a ser uma teoria.

O NOVO ATEÍSMO

A ideia dos memes está ligada a uma filosofia obsoleta da língua. Em seus primeiros trabalhos, Wittgenstein imaginava que a linguagem podia ser decomposta em "átomos lógicos", proposições elementares que remetem a fatos irredutivelmente simples a respeito do mundo. Mas ele não foi capaz de fornecer um exemplo desse tipo de átomo, o que acabou levando a seu pensamento mais tardio, no qual a língua é entendida como um corpo de práticas interligadas. Os memes são como os átomos lógicos de Wittgenstein, construções teóricas de que não se podem encontrar exemplos convincentes. O romantismo seria um meme? Ou a Idade Média? Os genes podem ser identificados por procedimentos científicos consagrados; os memes, não. Tão destituídos de fundamento quanto o flogisto, os memes são postulados exclusivamente para fomentar a crença de que a evolução é capaz de explicar tudo.

Toda vez que se manifestou na era moderna como movimento organizado, o ateísmo se aliou à pseudociência. Os memes de Dawkins pertencem à mesma categoria que os tapinhas na cabeça prescritos por Comte aos discípulos como parte das práticas diárias da religião da humanidade.

A VERDADEIRA AMEAÇA AO MONOTEÍSMO

O melhor é esquecer o velho debate vitoriano entre ciência e religião. Um desafio mais sério ao cristianismo se origina da história. Se Jesus não foi crucificado nem voltou do mundo dos mortos, a religião cristã fica seriamente comprometida. O mesmo se pode dizer se o que Jesus ensinou foi diferente do que os cristãos vieram mais tarde a acreditar.

O verdadeiro conflito não se dá entre religião e ciência, mas entre cristianismo e história. A religião cristã repousa na crença de que a salvação humana está ligada a determinados eventos históricos: a vida, morte e ressurreição de Jesus. Religiões como o hinduísmo, o budismo, o taoismo e as inúmeras formas de politeísmo apresentam relatos

22 SETE TIPOS DE ATEÍSMO

de acontecimentos que hoje seriam considerados milagres. Mas essas religiões não dependem da aceitação desses relatos como literalmente verdadeiros, ao passo que o cristianismo é suscetível de refutação pelos fatos históricos.

Trata-se de uma dificuldade que não pode ser contornada enquadrando a história de Jesus na categoria do mito do Gênesis. A expulsão de Adão e Eva do paraíso continuará sendo um dos mitos mais instrutivos da humanidade, por mais que avance a compreensão científica das origens humanas. Em contraste, o cristianismo se verá seriamente abalado se ficar provado que a história geralmente aceita de Jesus é falsa. Há milênios os estudiosos judeus e cristãos admitem que a história do Gênesis não é um relato factual. O relato da vida de Jesus no Novo Testamento é apresentado como fato desde a invenção da religião cristã.

As investigações sobre o Jesus histórico passaram por algumas fases. No século XVIII, o pensador iluminista alemão Hermann Samuel Reimarus deu início a esse processo com um estudo, que não viu publicado em vida, no qual apresentava Jesus como um profeta judeu revolucionário que não alcançou seus objetivos e morreu na cruz, legando aos discípulos um dilema que eles resolveram contando a história da sua ressurreição, que sabiam ser destituída de fundamento. A busca do Jesus histórico teve prosseguimento no século XIX com o alemão David Strauss, cuja obra desencadeou polêmicas tão longas e intensas quanto as provocadas pelos escritos de Darwin. Sustentando que a vida de Jesus devia ser entendida à margem de quaisquer milagres, Strauss considerava que a visão a seu respeito aceita pelos cristãos era um mito criado por seus discípulos. Os trabalhos de Reimarus e Strauss deram origem a muitos outros estudos, entre eles *A busca do Jesus histórico* (1906), de Albert Schweitzer, no qual Jesus era apresentado como um profeta judeu cujo ensinamento tinha em seu cerne a crença de que o mundo estava para chegar ao fim. A busca prosseguiu em épocas mais recentes, com estudos ricos de ensinamentos como *As várias faces de Jesus* (2000), de Géza Vermes.

Embora boa parte dessas investigações envolvesse uma crítica dos textos aos quatro evangelhos do Novo Testamento, certos trabalhos mais recentes

O NOVO ATEÍSMO

levam em conta textos como os Manuscritos do Mar Morto, descobertos no fim da década de 1940 nas cavernas próximas de Qumran, no litoral noroeste do mar Morto. As implicações desses textos são controversas. Os estudiosos cristãos tentam dissipar a ameaça que eles representam para a imagem consagrada de Jesus e seus ensinamentos, mas o resultado evidente é que a história de Jesus contada pelos cristãos é apenas uma dentre as muitas possíveis.

Em um dos relatos que parecem plausíveis, Jesus não foi o fundador do cristianismo. Mestre judeu carismático (Yeshua, em hebraico) que aderiu a um movimento liderado por João Batista, ele era um dos muitos profetas judeus itinerantes que pregavam na época. Não trazia nenhuma mensagem para os gentios nem nutria qualquer ideia de fundação de uma religião universal. Não se apresentava como o messias profetizado no Antigo Testamento, nem muito menos um salvador da humanidade. Sua religião era a religião de Moisés, aplicada naqueles que considerava os últimos dias do mundo. Esperava que a chegada do "dia do Senhor" (em grego, *eschaton*) ocorresse ainda em sua vida. A moral que ensinava aos discípulos era o que Schweitzer chamaria de uma *Interimsethik*: um modo de vida para o breve período que antecedia o advento do reino de Deus. Não havia qualquer menção do livre-arbítrio; o mundo estava para acabar, não importando o que cada um fizesse. Tampouco em momento algum se encontrava a ideia de uma alma imortal. Na religião de Jesus, boa parte das crenças cristãs brilha pela ausência.

O reino do céu anunciado por Jesus era destinado, sobretudo, a judeus como ele. Ele pode ter aceito a mensagem do Livro de Isaías, que dava a entender que os gentios podiam seguir os judeus até o Reino de Deus. Ainda assim, a missão de Jesus estava voltada exclusivamente para os outros judeus. Como foi, então, que o profeta judeu carismático passou a ser considerado o salvador da humanidade?

Após a crucificação de Jesus, já não se podia esperar o advento de um mundo novo ainda em sua vida. O choque para seus discípulos deve ter sido avassalador quando ele não voltou do túmulo. A reação deles foi declarar que logo ocorreria um Segundo Advento. Foi a mensagem do apóstolo Paulo, judeu de fala grega e cidadão romano também conhecido como Paulo de Tarso, em cartas redigidas somente vinte anos depois da morte de Jesus. Pela altura do evangelho de João no Novo Testamento, provavelmente escrito pelo fim do primeiro século da nossa era, Jesus se tornara o Filho de Deus — não mais um ser humano, mas parte da deidade. Mais tarde, o reino de Deus esperado por Jesus foi interpretado como um reino espiritual fora do tempo, ideia desenvolvida por Santo Agostinho, convertido do maniqueísmo que, no século IV da nossa era, combinou os ensinamentos de Jesus com a filosofia grega do platonismo.

Paulo e Agostinho inventaram a religião que conhecemos como cristianismo. Deles provém uma obsessão com a sexualidade sem equivalência nos ensinamentos de Jesus que chegaram até nós. Em suas *Confissões*, Agostinho relata que na juventude orava: "Deus, faz-me casto — mas não já." A visão do desejo sexual como algo aprovado no casamento, mas caso contrário pecaminoso, tornou-se parte integrante da religião cristã a partir de Paulo. Desde então, a ideia do pecado original moldou a maioria das formas do cristianismo, embora não tenha desempenhado um papel central na Igreja Ortodoxa.

Agostinho exigia que o cristianismo procedesse a um radical rompimento com a herança judaica de Jesus. "A verdadeira imagem do hebreu", escreveu ele no *Tractatus adversus Judaeos (Tratado contra os judeus)*, "é Judas Iscariotes, que vende o Senhor por dinheiro. Os judeus jamais serão capazes de entender as escrituras, devendo para sempre carregar a culpa pela morte do Cristo". A acusação de que os judeus mataram Jesus tinha sido feita anteriormente por São Paulo, em sua primeira carta aos tessalonicenses (2:14-15). Paulo foi determinante na transformação de um movimento exclusivamente judaico em algo que não só aceitava os gentios como tentava ativamente convertê-los.

Como a salvação não estava mais ao alcance apenas de um povo específico, como no judaísmo, ou de alguns iniciados, como nas religiões de mistérios greco-romanas, o cristianismo costuma ser considerado um avanço em relação às religiões do mundo antigo. Mas o preço da esperança universal era a crença evangélica. A fé que Jesus solicitava aos discípulos não significava aceitar um credo. Significava confiar nele. Ele não transmitia um conjunto de princípios, mas mostrava aos seguidores um modo de vida. Contendo pouco ou nada de teologia, seu evangelho se preocupava com atos, e não palavras. A partir de Paulo, ele se tornou o ícone central em um culto de crença. Antes um profeta, tornou-se Deus na Terra. O que fora um modo de vida se transformou em uma ideologia missionária, com a humanidade inteira necessitando de conversão. Estava montado o palco para milênios de conflitos. Os cristãos inventaram a ideia de religião tal como é entendida em geral hoje em dia. Rejeitando as tradições do mundo antigo, como adoração de falsos deuses, pela primeira vez eles identificaram fé e crença. Essa equação é a principal fonte da violência doutrinária que tem devastado a civilização ocidental desde então.

Ao mesmo tempo, ao reformular a religião como uma forma de crença — uma questão de consciência, e não apenas de prática ritualística —, o cristianismo criou uma demanda de liberdade que não existia no mundo antigo. Valorizando antes a devoção íntima que a prática pública, os primeiros cristãos geraram um movimento que culminaria na criação de um reino secular. Ao mesmo tempo que plantava a violência no coração da religião, o cristianismo lançava as sementes da separação entre Igreja e Estado. Nesse sentido, os cristãos seguiam o ensinamento de Jesus, que disse aos discípulos que dessem a César o que era de César, e a Deus o que era de Deus (Mateus 22:21).

De acordo com os dados disponíveis, Jesus foi muito provavelmente um profeta judeu na tradição de João Batista. Mas não podemos descartar outros relatos a respeito de sua vida e seus ensinamentos. Ele pode ter sido um fanático que liderou uma revolta judaica contra os romanos, tendo sido crucificado, sem voltar do túmulo. Pode ter pertencido a uma escola judaica do cinismo, a filosofia associada no século IV antes da nossa era ao sábio grego Diógenes, que pregava a indiferença aos valores convencionais. Pode ter vindo do movimento dos essênios, seita judaica dissidente que praticava uma forma ascética de vida comunitária com certa semelhança ao posterior monasticismo cristão.

De acordo com outros relatos, Jesus pode ter-se casado, divorciado e voltado a casar, passando alguns anos na pregação do evangelho e tendo morrido de causas naturais. Pode ter sido um rabino de uma família próspera, que abriu mão de uma vida de conforto para se tornar um pregador itinerante do significado profundo da lei judaica. Entre seus primeiros apóstolos podiam estar pescadores, que, no entanto, talvez desfrutassem de razoável conforto material, até aceitar o ensinamento de Jesus e abrir mão dos bens terrenos. Muitos dos primeiros seguidores de Jesus talvez não fossem marginais, mas gente relativamente privilegiada. Diversas versões da vida de Jesus são corroboradas pelos fatos, mas entre as menos plausíveis estão as que têm sido apresentadas como fato pelas igrejas cristãs.

Os pensadores cristãos costumam interpretar a ascensão da sua religião como sinal da natureza divina de Jesus. Entre tantos profetas que pregavam na época, por que só ele teria inspirado uma religião que se disseminou por todos os recantos do planeta? A personalidade e o ensinamento de Jesus de fato são inconfundíveis. Furioso inimigo da injustiça e pregador do perdão aos pecados, ele se destaca entre os profetas judeus da época. Mas a menos que se pense que os acontecimentos humanos se desdobram ao influxo de alguma orientação divina, a metamorfose dos ensinamentos de Jesus em uma fé universal só pode ser considerada resultado de uma sucessão de acidentes.

Se Paulo não tivesse se convertido, o movimento fundado por Jesus muito provavelmente não teria se transformado em uma religião mundial. Se o imperador Constantino não tivesse abraçado o cristianismo e Teodósio não o tivesse feito a religião oficial de Estado no século IV da nossa era, o mundo romano talvez tivesse continuado politeísta. A ascensão do cristianismo estava longe de ser inevitável. Entre a conversão de Paulo e a de Constantino, muitos cultos competiam, nenhum deles necessariamente destinado a prevalecer sobre os demais. A cultura europeia poderia muito bem ter sido moldada por religiões de mistério como os cultos de Mitra, Hermes e Orfeu, enquanto a religião cristã definharia, acabando por morrer. Ou talvez tivesse triunfado uma versão do cristianismo totalmente diferente das que conhecemos. Houve muitos cristianismos antigos, misturando-se a outras tradições, como o judaísmo, o maniqueísmo, o gnosticismo e o platonismo, e a partir delas evoluindo. Tal como a conhecemos hoje, a religião cristã é produto do acaso.

NOVO ATEÍSMO E VELHO ILIBERALISMO

As religiões só parecem substanciais e duradouras porque estão sempre mudando de maneira invisível. Os ateus têm usado esse fato como arma contra a religião. Em *An Atheist's Values* [Valores de um ateu, 1964], livro quase esquecido que talvez seja a melhor defesa de uma ética ateia jamais publicada, o filósofo Richard Robinson, de Oxford, escreve:

> Muito ouvimos falar de "valores cristãos". Os que se valem dessa expressão estão convencidos de que todo mundo sabe o que são valores cristãos. Mas eu não sei. Por exemplo, fico em dúvida se a frugalidade é um valor cristão, considerando-se que, embora costume ser louvada pelos que se dizem cristãos, é rejeitada por Jesus nos evangelhos.[2]

Robinson tinha razão ao assinalar que os chamados valores cristãos muitas vezes são desmentidos pelo que se sabe do ensinamento de Jesus. Também estava certo ao deixar claro que os valores defendidos em seu livro não podiam ser associados ao ateísmo. Eram os *seus* valores — não apenas preferências pessoais, já que podiam ser escorados em razões, mas tampouco necessariamente características do ateísmo. Ele não alegava que houvesse neles algo de "objetivo" ou "científico".

Os ateus atacam os valores cristãos por serem variáveis e não raro contraditórios. Em incessantes e cansativos debates, insistem que os não crentes podem ser pessoas de elevados valores morais. Não lhes ocorre perguntar *que moral* deve ser seguida por um ateu. Como os cristãos de Robinson, estão convencidos de que todo mundo sabe quais devem ser os valores ateus.

Mas aí se equivocam, como em tantas outras coisas. Karl Marx e o anarquista russo Mikhail Bakunin rejeitavam o teísmo por ser um obstáculo à solidariedade humana; o egoísta alemão Max Stirner, porque limitava a autoafirmação individual; e Friedrich Nietzsche, porque promovia "virtudes de escravo" como a humildade. Certos ateus franceses do século XVIII, como o físico La Mettrie, cuja filosofia materialista será explorada no capítulo 5, quando analiso o pensamento do marquês de Sade, recomendava o desfrute dos prazeres sensuais. Tanto na época quanto posteriormente, muitos ateus ingleses ficavam horrorizados com qualquer gesto de defesa da sensualidade. No período intermediário da época vitoriana, o filósofo John Stuart Mill ansiava por um tempo em que o cristianismo desse lugar a algo parecido com a religião da humanidade de Comte. Mas Mill compartilhava com os cristãos de seu tempo a convicção de que a vida deve ser dedicada ao autoaperfeiçoamento mental e moral, e não ao desfrute dos prazeres físicos. Muitas têm sido as morais ateias.

Com poucas exceções, os ateus do século XXI são liberais irracionais. Mas o ateísmo não tem um conteúdo político específico, e muitos ateus têm se mostrado virulentamente antiliberais. Os *philosophes* franceses do século XVIII — entre eles Voltaire, como veremos — abraçavam pontos de vista que só podem ser considerados racistas. Charles Maurras, o ateu francês do início do século XX que foi o principal teórico da Ação Francesa fascista, reverenciava a Igreja Católica como bastião da ordem social. O biólogo Ernest Haeckel, considerado no século XIX o "Darwin alemão", inventou uma religião evolucionista, o monismo, em que as ideias de hierarquia social desempenhavam papel de destaque. Julian Huxley, um dos fundadores do "humanismo evolucionista" na Grã-Bretanha do século XX, endossava teorias raciais semelhantes antes da Segunda Guerra Mundial. Tipicamente, os expoentes da "ética científica" têm simplesmente endossado os valores convencionais de sua época.

E nossa época não é diferente. O novo ateu americano Sam Harris quer "uma ciência do bem e do mal". Ele parte do princípio de que essa ciência dará suporte a valores liberais de igualdade humana e autonomia pessoal, mas não explica por que deveria ser assim. Vários sistemas de valores têm invocado a autoridade da ciência. Para muitos proponentes de uma "ética científica" nos anos do entreguerras do século passado, os valores liberais perderiam qualquer sentido no futuro comunista (ou nazista) que consideravam iminente.

O projeto de uma ética científica é uma herança de Comte, que acreditava que os valores liberais se tornariam obsoletos uma vez que a ética se transformasse em ciência. Em uma sociedade racional, os julgamentos de valor ficariam aos cuidados de especialistas científicos. Esse tipo de iliberalismo ateu é uma das mais fortes correntes do pensamento moderno. Quanto mais hostil o pensamento secular for à religião judaica e cristã, menor probabilidade terá de ser liberal. Embora talvez se considere um liberal, Harris pertence a essa tradição iliberal.

Não é por acaso que nem ele nem qualquer dos novos ateus promove a tolerância como valor fundamental. Se a ética pode ser uma ciência, não há necessidade de tolerância. Na verdade, todas essas versões da "ética científica" são fraudulentas, e não apenas por serem falsas as ciências que invocam. A ciência não é capaz de superar a defasagem entre fatos e valores. Por mais que progrida, a investigação científica não nos pode dizer que fins perseguir nem como resolver conflitos entre eles.

Considerando que "o vínculo entre moral e felicidade parece claro", Harris revive um conhecido tipo de ética utilitária no qual as únicas coisas que têm valor intrínseco são os prazeres e as dores das criaturas sensíveis. É uma teoria há muito conhecida, que apresenta dificuldades não menos conhecidas. Como medir ou comparar o valor de prazeres e dores? O fundador do utilitarismo no início do século XIX, o filósofo e reformista jurídico Jeremy Bentham, propôs determinados critérios, entre eles a duração e a intensidade. Mas será que prazeres condenados pela maioria — os prazeres da crueldade, por exemplo — podem ser equiparados a outros de mesma duração e intensidade? Bentham achava que sim, mas nesse sentido foi seguido por muito poucos. Harris, mais uma vez, parte do princípio de que o utilitarismo corrobora a primazia atribuída pelos liberais à liberdade, em relação a outros bens. Mas será mesmo? John Stuart Mill, até hoje o maior expoente do utilitarismo liberal, escreveu seu famoso ensaio *A liberdade* (1859) para sustentar que de fato corrobora. O resultado final de toda uma maciça literatura filosófica, porém, é que o argumento de Mill é falho. Utilitarismo e liberalismo são posições distintas, com implicações conflitantes que nem sempre podem ser conciliadas.

A atitude ética de Harris revela sinais desse conflito. Ele abraçou valores liberais de liberdade e dignidade humana. Ao mesmo tempo, defendeu a prática da tortura como algo não só admissível como necessário na "nossa guerra contra o terrorismo", para usar sua expressão. Ele sustenta que, embora possa violar liberdades fundamentais, a tortura é capaz de proteger a liberdade, no cômputo geral. Pessoas esclarecidas podem reagir de maneiras diferentes a semelhante alegação, algumas considerando que ela trai os valores liberais fundamentais, outras, que revela os conflitos enfrentados na prática por esses valores. Mas, seja como for, a ciência não pode decidir se ou quando a tortura se justifica.

Harris não ignora essas questões apenas por ignorância. Ao cultivar um deliberado desconhecimento da história das ideias, ele se exime de levar em conta que o ateísmo e o iliberalismo muitas vezes caminharam lado a lado. Assim, pode ignorar o fato de que os valores liberais que afirma professar se originaram no monoteísmo.

Negativo em si mesmo, o ateísmo inspirou muitos credos seculares. Ao ser promovido em movimentos organizados, ele se investiu dos paramentos das religiões tradicionais. Da Religião da Razão que se desenvolveu ao longo da Revolução Francesa ao materialismo dialético de Lenin e à reinvenção do super-homem de Nietzsche por Ayn Rand, passando pela religião da humanidade de Comte e o monismo de Haeckel, os movimentos ateus têm funcionado como veículo de religiões substitutas.

Ao mesmo tempo que gerava sucedâneos de religião, o ateísmo evangélico fomentava políticas baseadas na fé. Durante a Revolução Francesa, lugares de culto eram saqueados e destruídos para estabelecimento do culto da razão e da humanidade. Na antiga União Soviética, o clero de todas as religiões era uma das categorias de "ex-pessoas" às quais se negava um estatuto civil na declaração de direitos promulgada em janeiro de 1918, e nas décadas subsequentes centenas de milhares delas e suas famílias foram executadas ou morreram em campos na campanha pelo "ateísmo científico". Na China de Mao, incontáveis templos foram devastados e uma civilização inteira quase veio a ser destruída no Tibete. No capítulo 4, trato mais detalhadamente do histórico das modernas religiões políticas.

Por boa parte do século XX, terríveis atos de violência foram infligidos a serviço de fés seculares. Em contraste, o ateísmo organizado do nosso século é em grande medida um fenômeno de mídia, sendo mais bem entendido como uma forma de entretenimento.

2. Humanismo secular, uma relíquia sagrada

Para seus seguidores, a religião da humanidade parece diferente das religiões do passado. Tendo repudiado o monoteísmo, eles se imaginam fora da visão de mundo por ele expressa. Mas, embora possam ter rejeitado as crenças monoteístas, o fato é que não se livraram de um modo de pensar monoteísta. A crença de que os seres humanos constantemente se aperfeiçoam é o artigo de fé central do moderno humanismo. Extirpada à religião monoteísta, contudo, ela não é tão falsa quanto é carente de sentido.

Para os antigos gregos e romanos, na história não se podia ler nenhum padrão, senão o regular crescimento e declínio da civilização — um ritmo que essencialmente não é diferente dos que encontramos no mundo natural. Não havia qualquer perspectiva de aperfeiçoamento indefinido. Pelos padrões da época, a civilização poderia aperfeiçoar-se por algum tempo. Mas em dado momento o movimento perderia impulso, para em seguida reverter. Enraizados nas falhas inatas do animal humano, os ciclos dessa natureza não podiam ser evitados. Se os deuses interviessem, o resultado seria apenas tornar o mundo humano ainda mais imprevisível e traiçoeiro.

Certos historiadores antigos eliminaram a intervenção divina em seus relatos dos acontecimentos. Escrevendo no século V a.C., o historiador grego Heródoto descreve a ação dos deuses no sentido de punir delitos e transgressões (como a violação dos templos), mas não há qualquer indicação de que estavam empenhados em determinar o curso da história. Seu sucessor Tucídides escreveu história sem recorrer a qualquer tipo de intervenção divina. A sua *História da guerra do Peloponeso* registra uma série de contratempos em que a razão e a vontade humanas são frustradas por falhas humanas arquetípicas. Tucídides é considerado o pai da "história científica". Mas para ele não havia leis da história, apenas o fato da recorrente loucura humana.

Uma visão cíclica da história seria revivida na Europa do Renascimento por Nicolau Maquiavel. Em vez de contestar a crença cristã, o conselheiro de príncipes e historiador florentino deixou de lado os modos cristãos de pensar. A história não era conto moral em que o mal é punido ou redimido. Um príncipe devia estar disposto a cometer um crime para proteger o Estado. Em nome da sobrevivência da virtude, um governante tinha de praticar o vício. A bondade humana não dava indícios de tender a aumentar com o tempo. Essa visão se revelava por demais desconfortável para ser adotada pelos contemporâneos de Maquiavel, e tem sido considerada intolerável pela maioria dos pensadores seculares.

Até a ascensão do cristianismo, praticamente todo mundo admitia como certa uma visão cíclica da história. No século XVIII, quando a religião começou a ser substituída na Europa por credos seculares, o mito cristão da história como drama redentor não foi abandonado, mas reformulado sob outra aparência. Uma história de redenção pela providência divina deu lugar a uma história de progresso pelo esforço coletivo da humanidade. Nada disso poderia ter-se desenvolvido a partir de religiões politeístas, que consideram que os seres humanos sempre terão valores e objetivos muito diferentes.

PROGRESSO, UM MITO CRISTÃO

A moderna fé no progresso teve início com certas mudanças no pensamento cristão. Declarando-se superior a qualquer coisa no mundo pagão

HUMANISMO SECULAR, UMA RELÍQUIA SAGRADA

ou judaico, o cristianismo afirmava que uma nova ordem de coisas estava aberta a todos. Durante a maior parte da história cristã, acreditou-se que essa transformação ocorreria quando Jesus voltasse para fundar o reino de Deus. Após tremendo confronto com as forças sombrias que dominam o mundo, o mal seria destruído e surgiria um novo mundo. Esse mito apocalíptico alimentou os movimentos milenaristas da época medieval — revoltas de massa contra a Igreja e o Estado, inspiradas na crença de que a história estava para acabar por intervenção divina.[1]

Com a Reforma e o advento do "pós-milenarismo" no protestantismo do século XVII, esse mito deu lugar a um outro mais centrado no homem. A crença de que o mal seria destruído em um fim apocalíptico dos tempos foi suplantada pela convicção de que o mal podia ser lentamente minorado na história. De qualquer maneira, Jesus voltaria para governar o mundo, mas só depois que ele fosse transformado pelo esforço humano. Esvaziado de seu conteúdo transcendental, esse mito cristão está na origem do moderno meliorismo: a ideia de que a vida humana pode ser gradualmente aperfeiçoada. Ao contrário da visão da história dominante no mundo antigo, que reconhecia o progresso mas entendia que o que fora conquistado seria perdido com o tempo, a moderna crença neocristã no progresso afirma que a vida humana pode ser melhorada de maneira cumulativa e permanente.

Outro elemento também foi importante na formação dessa fé secular. O gnosticismo entrou na religião da humanidade por meio da crença de que a salvação era alcançada pela aquisição de um tipo especial de conhecimento. Nas filosofias clássicas do mundo antigo, esse conhecimento era um tipo de percepção mística conquistado pela prática da contemplação. Na época moderna, passou a ser o conhecimento adquirido por meio da ciência. Em ambos os casos, acreditava-se que o conhecimento traria a libertação do mal.

O mito moderno do progresso derivou de uma fusão da fé cristã com o pensamento gnóstico. No capítulo 4, vou examinar de que maneira o gnosticismo modelou as modernas religiões políticas — entre elas o liberalismo. Aqui cabe notar que, embora o moderno meliorismo afirme basear-se na ciência, a ideia de que a civilização se aperfeiçoa ao longo da história nunca foi uma hipótese suscetível de refutação. Se o fosse, há muito teria sido abandonada.

Para os que acreditam no progresso, qualquer regressão só pode ser uma interrupção temporária no avanço para um mundo melhor. Mas, se analisarmos os registros históricos sem preconceitos modernos, veremos que é difícil detectar qualquer tendência contínua de aperfeiçoamento. O triunfo do cristianismo quase acarretou a destruição da civilização clássica. Bibliotecas e museus, templos e estátuas foram destruídos ou desfigurados em vasta escala, naquela que tem sido considerada "a maior destruição de artes jamais vista no mundo".[2] A vida cotidiana foi submetida a níveis inéditos de repressão. Embora não houvesse no mundo pagão nada parecido com a preocupação liberal com a liberdade individual, o pluralismo nos estilos de vida era aceito como algo perfeitamente natural. Como a religião não era uma questão de crença, ninguém era perseguido por heresia. A sexualidade não era demonizada como viria a ser no mundo cristão, nem os homossexuais eram estigmatizados. Embora estivessem subordinadas aos homens, as mulheres eram mais livres do que seriam depois do triunfo do cristianismo.

Hoje em dia, todo mundo está convencido de que a civilização evoluiu com os tempos modernos. Somos constantemente lembrados de que o mundo medieval e o início da era moderna eram devastados pelas guerras religiosas, mas a violência com origem na religião não acabou com o advento da era moderna. Da Revolução Francesa em diante, a Europa e boa parte do restante do mundo se viram convulsionados por revoluções e guerras alimentadas por crenças seculares como o jacobinismo e o comunismo, o nazismo e o fascismo, assim como uma forma beligerantemente evangélica de liberalismo. No século XXI, uma poderosa força de violência baseada na fé tem se manifestado nos movimentos islamistas, que misturam ideias tomadas de empréstimo ao leninismo e ao fascismo a correntes fundamentalistas do próprio islã.

É verdade que a escravidão e a tortura representavam flagelos das sociedades pré-modernas, mas essas práticas não desapareceram. A escravidão foi reintroduzida em ampla escala no século XX na Alemanha nazista e nos gulags soviéticos e maoistas. Leilões de escravos no autoproclamado califado estabelecido pelo Estado Islâmico, em partes do Iraque e da Síria, eram apregoados no Facebook. O tráfico de seres humanos floresce em boa parte do mundo. A tortura voltou a ser normalizada. Proibida na Inglaterra em meados do século XVII e no restante da Europa pela imperatriz Maria Teresa de Habsburgo, no fim do século XVIII, a prática seria revivida pela principal democracia do mundo quando George W. Bush a sancionou nos preparativos da invasão ao Iraque.

Em vez de serem deixados para trás, os velhos males voltam com novos nomes. Não existe uma linha de progresso da civilização entrelaçada no tecido da história. O aumento cumulativo de conhecimento na ciência não tem paralelo na ética ou na política, na filosofia ou nas artes. O conhecimento aumenta em ritmo acelerado, mas os seres humanos não podem ser considerados mais racionais que nunca. Os ganhos civilizatórios ocorrem de tempos em tempos, mas se perdem depois de algumas gerações.

Lugar-comum no mundo antigo, esse fato não pode ser aceito pelos humanistas seculares, nem mesmo compreendido, em muitos casos. Eles se dão conta de que o progresso da civilização não é inevitável, não sendo alcançável nenhum tipo de perfeição. A humanidade avança centímetro por centímetro, afirmam; a marcha em direção a um mundo melhor será longa e árdua. O que esses crentes seculares não conseguem digerir é o fato de que os ganhos na ética e na política regularmente vêm e vão — o que desmente qualquer história de avanço humano contínuo.

Ao contarem a história da humanidade como uma história de progresso, os pensadores seculares se consideram representantes do progresso de que falam. Ao mesmo tempo, confirmam que sua visão de mundo foi herdada do monoteísmo. Só com a invenção do cristianismo começou a ser contada uma história da humanidade. Antes, não havia uma história universal. Muitas histórias eram contadas: a do povo judeu, a dos gregos, a dos romanos e a de uma infinidade de outros.

Os pensadores modernos dizem que contar a história como uma história de toda a humanidade representa um avanço. Mas junto com o universalismo cristão veio uma intolerância militante, característica que o cristianismo transmitiu a seus sucessores seculares. Para os crentes neocristãos, qualquer modo de vida que não seja capaz de se adequar a uma história de progresso ou se recuse a fazê-lo pode ser considerado sub-humano, relegado às margens da história e fadado à extinção.

Como o monoteísmo cristão de que derivou, o humanismo secular é uma mistura distorcida de religião judaica e filosofia grega. Para Platão — a origem do gnosticismo na filosofia ocidental —, o mundo do tempo que passa é um véu que encobre uma realidade espiritual imutável. A Bíblia oferece uma visão diferente. No Antigo Testamento, a contingência — o fato de as coisas acontecerem arbitrariamente como acontecem — é uma realidade suprema. Deus criou o mundo e nele interfere como bem quiser.

Essas visões de mundo escoram concepções divergentes da salvação humana. Para os seguidores de Platão, os seres humanos são exilados da eternidade; a liberdade consiste em se alçar do reino das sombras e deixar para trás a ilusão de ser um indivíduo separado e constrito no tempo. Nos relatos bíblicos, a salvação não é uma fuga da contingência, mas um acontecimento milagroso no mundo contingente. Era um acontecimento dessa natureza que Jesus esperava ao anunciar o reino de Deus. Os que fossem salvos não seriam assimilados em um espírito eterno, mas trazidos de volta do túmulo como seres humanos corpóreos.

Essas visões de mundo judaica e grega não são apenas divergentes, mas se opõem irreconciliavelmente. Desde o início, porém, o cristianismo tem sido uma tentativa de aproximar Atenas de Jerusalém. O platonismo cristão de Agostinho foi somente a primeira de muitas tentativas nesse sentido. Sem saber o que estão fazendo, os pensadores seculares deram prosseguimento a essa vã tentativa.

PLATÃO PARA AS MASSAS

O impacto formador da filosofia de Platão na religião cristã pode ser constatado na dívida de Agostinho para com Plotino. Lendo o místico do século

III em latim, Agostinho absorveu uma compreensão da relação humana com Deus que viria a modelar o cristianismo e, mais tarde, a moderna ideia ocidental de humanidade.

Para Plotino, Deus é o próprio ser, indiferenciado e atemporal, ao passo que as coisas deste mundo são efêmeras e insubstanciais. Os seres humanos se distanciaram de uma unidade absoluta, que só ela é verdadeiramente real. A salvação consiste em se reidentificar com esse Absoluto, que Plotino — tomando o termo de empréstimo à filosofia estoica — chamava de *Logos*, um princípio cósmico de razão. Nada no tempo que passa é verdadeiramente ele mesmo. Os seres humanos só se transformam no que realmente são fundindo-se com o *Logos* eterno. Até chegarem a esse ponto, estão alienados da própria natureza.

Nessa visão, a salvação não é um acontecimento no tempo, mas o ato de sair do tempo. Tudo que fez os seres humanos serem o que são — suas lembranças, emoções e relações — deve ser deixado para trás, carecendo de importância. Não há aqui qualquer indicação de que a humanidade possa encontrar a redenção na história. Os conflitos humanos não são etapas em uma marcha para um estado superior, mas confrontos periódicos de exércitos ignorantes no escuro.

Não há lugar para o progresso nessa visão das coisas. Mas a filosofia platônica viria a ser associada, primeiro em Agostinho, e depois em outros pensadores cristãos, à crença de que a salvação humana era alcançada por um processo histórico de autorrealização divina. O elo entre as duas era uma teogonia — um relato de como Deus se manifesta — em que Deus só podia alcançar a plena autoconsciência criando uma infinidade de almas e se associando a suas lutas. Em vez de contemplar a própria perfeição em um reino atemporal, o *Logos* se revelava na história.

Essa fantasia foi formulada explicitamente pela primeira vez no século IX, pelo místico neoplatônico e teólogo cristão Johannes Scotus Erigena (c. 877). A filosofia de Plotino continha uma pergunta sem resposta. Se o Absoluto é autossuficiente, por que surgiu o mundo de sombras onde os seres humanos passam a vida? A resposta de Erigena: o Absoluto precisava se manifestar no tempo para se tornar plenamente consciente.

Na linguagem da teologia cristã, Deus criou as almas humanas para se conhecer plenamente nelas. Em vez de ser uma mancha no rosto da eternidade, a humanidade era um espelho em que o Espírito podia se contemplar. Estilhaçando-se em fragmentos infinitesimais, Deus criou o mundo humano. A história é o processo pelo qual esses fragmentos voltam a se reunir.

Esse relato da volta de Deus para si mesmo se tornou uma das fontes da crença moderna de que a história é a história do progresso da humanidade. Carreada pela religião alemã, a visão de Erigena moldou a filosofia daquele país. Transmitido por místicos cristãos como Angelus Silesius e Jakob Böhme, o conceito de que Deus criou a humanidade para se tornar mais plenamente consciente da própria natureza viria a se transformar na filosofia do espírito do mundo, em G. W. F. Hegel, e no humanismo de Karl Marx. Hegel julgava ter sintetizado todo o pensamento humano, ao passo que Marx considerava que a espécie humana só se tornaria devidamente consciente de si mesma em um futuro estado de comunismo. Para ambos, contudo, a história era o processo pelo qual a humanidade se torna um agente plenamente consciente. Um Deus que toma consciência de si mesmo era substituído por uma humanidade que se endeusava.

Um momento de transição ocorreu quando o filósofo radical Ludwig Feuerbach, em seu livro *A essência do cristianismo* (1841), inverteu a tradicional relação entre Deus e a humanidade. Hegel tinha representado a história como o desdobramento do espírito do mundo. Virando de ponta-cabeça essa visão teocêntrica, Feuerbach sustentava que o espírito do mundo era uma imagem das possibilidades humanas projetada no céu. Não era Deus, mas a humanidade que fazia a história — afirmação repetida e endossada por Marx em suas *Teses sobre Feuerbach* (1845).

As filosofias modernas, nas quais a história é um processo de autorrealização humana, são, portanto, decorrências das especulações místicas dos teólogos medievais. Ao encarar a história como um processo racional, Hegel o fazia por acreditar — como Platão e Plotino — que o mundo era uma manifestação do *Logos*.

HUMANISMO SECULAR, UMA RELÍQUIA SAGRADA

A crença de que a humanidade faz a história para realizar plenamente suas possibilidades é uma relíquia do misticismo. A menos que se acredite que a espécie seja um instrumento de alguma força superior, a "humanidade" não pode fazer *nada*. O que de fato existe é uma multidão de seres humanos com necessidades e capacidades comuns, mas com diferentes objetivos e valores. Se deixarmos de lado a metafísica, restam apenas o animal humano e seus muitos e conflitantes modos de vida.

Em Marx, a visão da história deve mais à filosofia platônica do que à religião messiânica judaica. Em sua outrora festejada *História da filosofia ocidental*, Bertrand Russell escreveu:

> Para entender Marx do ponto de vista psicológico, devemos usar o seguinte dicionário:
> Jeová = Materialismo Dialético
> O Messias = Marx
> O Eleito = O Proletariado
> A Igreja = O Partido Comunista
> O Segundo Advento = A Revolução
> Inferno = Punição dos Capitalistas
> O Milênio = A Comunidade Comunista de Nações
> As expressões à esquerda conferem conteúdo emocional às expressões à direita, e é esse conteúdo emocional, bem conhecido dos que tiveram uma criação cristã ou judaica, que torna a escatologia de Marx digna de crédito.[3]

A análise de Russell deixa a desejar. Ele partia do princípio de que Marx era o autor do sistema de ideias que veio a ser conhecido como marxismo, e que incluía teorias como o materialismo dialético. Na verdade, Marx nunca chegou a produzir algo parecido com um sistema intelectual. Pensador novecentista reagindo a acontecimentos da sua época, ele externou uma sucessão de pontos de vista que carecem de coerência interna ou com o que posteriormente viria a ser conhecido como marxismo. As circunstâncias de sua vida de emigrante, passando de um país a outro, sempre precisando de dinheiro, não eram compatíveis com os longos períodos de trabalho intelectual contínuo necessários para a construção de um sistema de pensamento. Mesmo suas principais obras — como o monumental *O capital* — ficaram inacabadas.

Os pontos de vista políticos de Marx mudaram muito ao longo de sua vida. Em determinados momentos da década de 1840, tinham algo em comum com os dos anticomunistas do século XX: na sua visão, o comunismo não só era impraticável como indesejável. Em 1842, ele escreveu que, em consequência da disseminação das ideias comunistas, "nossas cidades comerciais, outrora florescentes, já não prosperam", ao passo que em 1848 rejeitava a ideia da ditadura revolucionária como um "absurdo". Por causa da influência de Engels, Marx tem sido considerado um admirador de Darwin. Na verdade, a teoria da seleção natural de Darwin não lhe agradava, por considerar o progresso humano "puramente acidental". Ele preferia a obra do esquecido etnógrafo francês Pierre Trémaux, segundo quem as "diferenças raciais" têm uma "base natural" na biologia — uma visão comum à época.

Marx endossava muitos dos estereótipos raciais então em vigor. Em seu ensaio *A questão judaica* (1843-1844), ele equiparava o judaísmo à usura e, nisto seguindo Voltaire, condenava a religião judaica como um "politeísmo de muitas necessidades".[4] Referindo-se ao dirigente socialista alemão judeu Ferdinand Lassalle, Marx escreveu:

> Agora está perfeitamente claro para mim, como provam a forma da sua cabeça e o crescimento do seu cabelo, que ele [Lassalle] descende de negros que se juntaram à marcha de Moisés na saída do Egito (se é que sua mãe ou sua avó não se acasalaram com um crioulo). E esta combinação de judaísmo e germanismo com uma substância básica negroide deve gerar um produto peculiar. A agressividade do sujeito também é característica de crioulos.[5]

Os mutáveis pontos de vista de Marx refletiam os preconceitos de sua época, ao mesmo tempo intimamente ligados às lutas políticas em que estava envolvido. Ele não pode ser considerado o fundador do marxismo, assim como Jesus não foi o do cristianismo. Se alguém criou o marxismo, foi Engels, não só o colaborador mais próximo de Marx como também, durante muitos anos, a fonte de boa parte de sua renda. A dependência financeira de Marx ao benfeitor impedia uma discussão aberta das muitas áreas em que os dois discordavam.

Nem as condições incertas de vida nem sua inquieta inteligência permitiam a Marx modelar um sistema de ideias como o que leva seu nome. Mas ele de fato tinha uma visão da história que manifestou em muitos dos seus escritos, e Russell estava certo ao considerar que no cerne da sua visão de mundo havia um mito escatológico. No entanto, era um mito herdado mais do platonismo cristão que da religião judaica. Quando Marx conta a história da autorrealização humana, ela não nos leva de volta a Jesus, mas a Paulo e Agostinho. A filosofia da história de Marx é a teodiceia cristã reembalada como mito humanista.

Na mitologia de Marx, o Absoluto original é o comunismo primitivo — uma condição imaginária na pré-história em que os seres humanos viviam sem conflitos nem divisões. A história é o movimento em direção à autoconsciência de uma espécie alienada de si mesma. Ao se realizar o comunismo no fim da história, a espécie recobra sua unidade original em plena autoconsciência.

Em *Além do bem e do mal*, Nietzsche se referia ao cristianismo como "platonismo para as massas", acusação que se aplica com força igual ou ainda superior ao humanismo secular. A crença de que a história tem uma lógica intrínseca compelindo a humanidade a um nível superior é platonismo contextualizado em termos históricos. Os marxistas consideram que o desenvolvimento humano é movido por novas tecnologias e pelos conflitos de classe, ao passo que os liberais veem a expansão do conhecimento como principal estímulo. Não resta dúvida de que essas forças contribuem para direcionar o fluxo de acontecimentos. Porém, a menos que se postule um estado final divinamente preestabelecido, não há motivos para pensar que a história tenha uma lógica ou meta global.

Para Platão e Plotino, a história era um pesadelo do qual a mente individual se esforçava por despertar. Seguindo Paulo e Agostinho, o cristão Erigena viu na história a encarnação do *Logos*. Com sua conversa interminável sobre o progresso, os humanistas seculares projetam esse sonho místico no caos do mundo humano.

JOHN STUART MILL, O SANTO DO RACIONALISMO

Tal como o conhecemos hoje, foi John Stuart Mill (1806-1873) o fundador do humanismo liberal. Considerado pelo devoto primeiro-ministro W. E. Gladstone o "santo do racionalismo", Mill passou uma noite na prisão por distribuir entre mulheres da classe trabalhadora panfletos detalhando técnicas de contracepção, e teve um relacionamento longo, nada convencional e, segundo todos os relatos, mutuamente gratificante com a escritora feminista Harriet Taylor, com quem casou quando ela ficou viúva. Foi membro do Parlamento durante sete anos e escreveu estudos de lógica e economia usados como manuais de ensino ao longo de gerações. Também foi fervoroso botânico, cultor da poesia romântica e padrinho de Bertrand Russell.

Criado por um pai escocês, James Mill, discípulo de Jeremy Bentham, John Stuart Mill nunca se preocupou com a fé cristã. No início da idade adulta, contudo, passou por uma crise de fé. A fé com que se viu debatendo foi o utilitarismo, uma versão do humanismo secular em que o objetivo da ação humana era a máxima satisfação das necessidades — às vezes sintetizada como "a maior felicidade do maior número" —, que seria alcançada pela aplicação de um processo de cálculo definido por Bentham como "cálculo hedonista" ou "aritmética moral".

Ao entrar na idade adulta, Mill foi tomado por uma paralisante dúvida a respeito desse credo utilitário. Em sua *Autobiografia*, escreveu: "Fui criado desde o início sem qualquer crença religiosa, na acepção comum do termo [...]. Sou, portanto, em nosso país, um dos pouquíssimos exemplos de alguém que não descartou a crença religiosa, mas nunca a teve; cresci em um estado negativo em relação a ela."[6] Mill se considerava agnóstico, mas, na medida em que nem se preocupava com a ideia de Deus, era na verdade ateu.

HUMANISMO SECULAR, UMA RELÍQUIA SAGRADA

Ao mesmo tempo, Mill de fato tinha uma fé: a convicção, compartilhada mais tarde por incontáveis seguidores da religião da humanidade, de que a espécie poderia se alçar a um nível mais alto de civilização pela prática da razão. O que diferençava Mill de outros crentes seculares, na sua época ou na nossa, era o fato de não ter essa fé como garantia. Hoje em dia, milhões de humanistas liberais nunca tiveram uma religião do tipo usual, mas poucos deles se perguntaram — como fazia Mill — se a sua fé no aperfeiçoamento humano se escora na razão.

Mill deixou um relato sincero da sua "crise mental", para usar sua própria expressão:

> Eu tinha o que poderia verdadeiramente ser considerado um objetivo na vida: ser um reformador do mundo [...]. O que funcionou muito bem por vários anos, durante os quais a melhora global verificada no mundo e a ideia de que eu próprio estava me empenhando com dificuldade ao lado de outros na sua promoção pareciam capazes de preencher uma existência interessante e animada. Mas chegou o momento em que despertei, como se fosse um sonho [...]. Nesse estado de espírito, ocorreu-me perguntar a mim mesmo: "Suponha que todos os seus objetivos na vida se realizassem; que todas as mudanças em instituições e opiniões por que vem ansiando pudessem se concretizar perfeitamente neste exato momento; representaria isso uma grande alegria e felicidade para você?" E uma incontrolável autoconsciência respondeu claramente: "Não!" Assim, meu coração caiu das nuvens dentro de mim; desmoronava todo o alicerce sobre o qual minha vida se construíra. Toda a minha felicidade devia ser encontrada na constante busca desse fim. O fim deixara de encantar, e de que maneira poderiam os meios agora voltar a ter algum interesse? Não pareciam mais restar-me motivos para viver.

A crise de Mill tinha um lado cômico. Ele escreve que uma das fontes de prazer que preservou nesse período foi a música. Mas essa satisfação era "muito prejudicada" pela perspectiva de que houvesse apenas um número finito de possíveis melodias:

Eu me via seriamente atormentado pela ideia do caráter exaurível das combinações musicais. A oitava consiste apenas em cinco tons e dois semitons, que podem ser combinados em um número limitado de maneiras, das quais apenas uma pequena proporção é bela: parecia-me que a maioria delas já devia ter sido descoberta, e não haveria espaço para uma longa sucessão de Mozarts e Webers gerar, como fizeram eles, filões totalmente novos e infinitamente ricos de beleza musical.[7]

Seria fácil descartar isso como um simples caso de depressão. Mill escreve que começou a se recuperar com a leitura das memórias do historiador oitocentista francês, Jean-François Marmontel. O trecho em que o autor relata a morte do pai pareceu a Mill "um pequeno raio de luz": "Eu me comovi às lágrimas. A partir dali, meu fardo se tornou menos pesado. Fora-se a opressiva ideia de que estaria morto em mim todo sentimento. Eu não era mais um caso perdido [...]. Aliviado da constante sensação de irremediável desventura, constatei aos poucos que os incidentes comuns da vida podiam de novo me dar algum prazer [...]."[8]

Parece evidente que a crise de Mill estava ligada à relação com o pai. Sua educação nos primeiros anos foi uma experiência de racionalismo. Aplicando a teoria de que a mente humana chega ao mundo como uma lousa em branco, o pai lhe ensinou grego aos 3 anos de idade e latim quando ele tinha 8. O que ocorria na mesma sala em que o pai trabalhava. Mill passou a infância na companhia de um diretor de trabalhos que "exigia de mim não apenas o máximo que eu pudesse fazer, como muito que em hipótese alguma eu poderia ter feito". No aprendizado do grego e do latim, ele era "forçado a recorrer a ele a cada palavra que não soubesse".[9]

Mill passou o resto da vida reformulando a filosofia do pai à luz das experiências a que fora submetido na infância. O resultado não foi um novo sistema de ideias, escreveu, mas "nenhum sistema: apenas a convicção de que o verdadeiro sistema era algo muito mais complexo e multifacetado do que eu pudera imaginar até então".[10] Mill jamais afirmou ter formulado uma visão unificada do mundo humano. Ainda assim, fundou uma

HUMANISMO SECULAR, UMA RELÍQUIA SAGRADA

ortodoxia: a crença no aprimoramento que é a fé irrefletida daqueles que acham que não têm religião.

Como observou ele próprio, Mill fugia aos padrões por não ter sido criado em uma fé tradicional. Mas o fato é que, como todo mundo na Inglaterra do período vitoriano intermediário, seu modo de pensar e sentir foi moldado pelo cristianismo. Ao insistir em que a moral não dependia da religião, ele invocava uma ideia de moral tomada de empréstimo à religião cristã. Ao sustentar que a humanidade evoluía, escorava-se na crença de que o animal humano é um agente moral coletivo — ideia que também deriva do cristianismo. Nenhuma dessas afirmações encontra sustentação na observação empírica, supostamente a base da filosofia de Mill.

Mill tinha consciência de que a religião da humanidade podia tornar-se um obstáculo para o livre pensar. De Comte — com quem se correspondeu em francês por muitos anos —, ele absorveu a ideia, a ser discutida no último capítulo, de que a história progride por uma sucessão de etapas, cada uma delas mais racional que a anterior. Mas o que aconteceria com a individualidade que descobrira em si mesmo ao sair da sua crise mental? Mill viria a considerar que a filosofia de Comte levava à destruição da liberdade. O seu *Ensaio sobre a liberdade* (1859) foi uma tentativa de afastar essa perspectiva. Objeto de inúmeras controvérsias filosóficas,[11] o ensaio de Mill foi criticado com mais veemência pelo escritor e jornalista radical russo Alexander Herzen, que o leu pouco depois da publicação, quando vivia em Londres como exilado do czarismo.

Segundo Herzen, a maioria dos seres humanos não dava grande valor à própria individualidade, caso a tivessem realmente. Preferia-se um modo de vida tranquilo e o que Mill chamava de "o sono profundo de uma opinião firme". E por que alguém que atravessa sonambúlico um modo de vida assim haveria de romper com ele? Como se deu conta Herzen, Mill não tinha uma resposta:

Com base em que princípio poderemos despertar aquele que dorme? Em nome de que a personalidade débil, hipnotizada por ninharias, pode ser inspirada, levada à insatisfação com seu atual modo de vida de ferrovias, telégrafos, jornais e bens ordinários?

Os indivíduos não se destacam da massa por falta de oportunidade. Em nome de quem, em nome do que ou contra quem haveriam de se sobressair? A falta de homens de energia não é uma causa, mas uma consequência.[12]

Mill não explicava por que alguém haveria de abrir mão de uma vida segura de conformismo para se tornar um livre-pensador. Em seu ensaio *Utilitarismo*, ele afirmava: "Melhor ser um ser humano insatisfeito que um porco satisfeito."[13] Se o porco não tem a mesma opinião, é por não conhecer os prazeres da vida mental. Ao contrário de Bentham, Mill queria estabelecer uma distinção qualitativa entre os prazeres mais elevados e inferiores. Os prazeres morais e intelectuais eram mais elevados, e os do corpo, inferiores. Para ele, não havia dúvida de que aqueles eram mais satisfatórios que estes.

A certeza de Mill a esse respeito é cômica. Vitoriano imbuído de altos princípios, ele não estava assim tão familiarizado com os prazeres inferiores para fazer uma avaliação ponderada. Considerava-se um empírico para o qual toda crença deve ser testada no tribunal da experiência humana, mas se esqueceu de aplicar esse teste a seus próprios julgamentos de valor. Em *A Liberdade*, escreveu: "Considero a utilidade o supremo recurso em toda questão ética", acrescentando: "Mas que seja utilidade no sentido mais amplo, assentada nos interesses permanentes do homem como ser progressivo."[14]

Para Mill, parecia óbvio que a humanidade está progredindo. O que, no entanto, está longe de ser uma verdade tão evidente. Os seres humanos com certeza transformaram seus modos de vida e o planeta ao seu redor. Já parece menos claro que tenham aprimorado a si mesmos e ao mundo que habitam. Em que sentido poderíamos considerar um nazista, um comunista ou um islamista como um aprimoramento em relação a um epicurista, um estoico ou um taoista da antiguidade? Em que os

HUMANISMO SECULAR, UMA RELÍQUIA SAGRADA

credos políticos homicidas da era moderna são melhores que as fés tradicionais do passado? São perguntas que os atuais discípulos de Mill não fazem, nem muito menos respondem.

Segundo a filosofia oficial de Mill, tudo o que identificamos no mundo — objetos físicos, seres humanos — é uma construção das impressões sensoriais. As sensações são os elementos constituintes do mundo. Nesse ponto, Mill diverge dos materialistas franceses como La Mettrie, de quem já falamos, para quem os elementos constituintes do mundo eram as coisas físicas. Mas, se a matéria é um conceito abstrato que pode ser útil por nos ajudar a lidar com o mundo ao redor, o que é a "humanidade"? A concepção da espécie em Mill não se baseava na observação. Refletia suas convicções morais, que derivavam do cristianismo. A evidência de que os animais humanos aprendem com os próprios erros e loucuras é, na melhor das hipóteses, ambígua. Nesse ponto, o empirismo e o liberalismo divergem.

Apesar de sua formação secular, Mill nunca se livrou da influência dos valores cristãos vitorianos. "Os autênticos ensinamentos de Jesus", escreveu em seu ensaio *A utilidade da religião*, "certamente estão em harmonia com o intelecto e os sentimentos de todo bom homem e toda boa mulher".[15] Desconhecendo as posteriores descobertas textuais, Mill na verdade não tinha como saber quais dos ensinamentos de Jesus até então transmitidos eram autênticos, ou se algum deles de fato o era. Seja como for, a afirmação de que uma moral cristã estaria de acordo com "o intelecto e os sentimentos de todo bom homem e toda boa mulher" era desmentida em sua própria experiência. Ele nunca duvidou de que Auguste Comte fosse um homem bom, mas a Comte faltava qualquer noção do valor da liberdade, que para Mill era essencial a uma boa vida. Mesmo entre aqueles que Mill considerava virtuosos, havia no terreno dos valores divergências mais profundas do que ele se dispunha a admitir.

E, sobretudo, Mill nunca questionou a ideia cristã de que a "moral" é um imperativo prioritário. Em consequência, não foi capaz de explicar por que alguém desejaria ser moral. Ele acreditava que toda pessoa racional desejaria promover o bem-estar coletivo, e não o seu próprio interesse. Mas, em caso de divergência entre o interesse próprio e o bem-estar geral, por que optar pelo autossacrifício? Por que cumprir um dever utilitário em vez de fazer o que se quer fazer?

Essas perguntas foram feitas pelo filósofo Henry Sidgwick (1838-1900), um dos maiores intelectos do século XIX. Como Mill, Sidgwick era um vitoriano consciencioso. Ao contrário dele, tivera formação cristã. E nela permaneceu até constatar que não aceitava alguns dos Trinta e Nove Artigos da Igreja Anglicana. Em 1869, renunciou a seu cargo acadêmico em Cambridge, que exigia a aceitação de todos eles.

Sidgwick identificava dificuldades fundamentais na ética utilitária. Mill considerava que um único princípio determinante governava a vida prática: o princípio da utilidade, segundo o qual o que importa é maximizar para todos o prazer ou a satisfação dos desejos (são muitas as versões do que poderia significar "utilidade"). Para Sidgwick, esses princípios eram dois, entre os quais não era possível decidir pela razão.

Em seu livro *Métodos da ética*, publicado em 1874, Sidgwick apontava, na sua expressão, "o dualismo da razão prática". Em vez de um único princípio de utilidade, ele concluía que dois princípios governavam a vida prática: o interesse próprio e a preocupação com o bem-estar geral. Ao contrário de Mill, que se empenhava em demonstrar que o bem-estar geral devia ter prioridade, Sidgwick deixava claro que não existe qualquer base racional para essa hierarquia.

O interesse próprio, insistia Sidgwick, não é patentemente racional. A menos que invoquemos uma ideia religiosa da alma, a personalidade humana não passa de uma sucessão de continuidades na memória e no comportamento. Nesse caso, por que alguém haveria de privilegiar o seu eu futuro em detrimento do eu presente? O conflito fundamental na ética não era o conflito entre o interesse próprio e o bem-estar geral, mas entre o bem-estar geral e os desejos do momento. Diante desses imperativos rivais, a razão era impotente. Como afirma Sidgwick no fim de *Métodos da ética*, havia "uma suprema e fundamental contradição em nossas aparentes intuições do que é razoável na conduta".[16]

Era algo que ele não podia suportar. Ele já perdera a fé cristã. A perspectiva de um universo carente de qualquer "governo moral" era demais para ele. Passou então o resto da vida buscando na ciência uma forma de deixar para trás o mundo que a ciência — em especial a biologia darwiniana — havia revelado. A ciência para a qual se voltou foi a investigação psíquica, uma pesquisa dos fenômenos paranormais que despertou o interesse de muitos intelectos privilegiados da época vitoriana e eduardiana tardia, entre eles o codescobridor da seleção natural, Alfred Russel Wallace.

Sidgwick viveu na expectativa de que a ciência arrolaria provas de que a mente humana sobrevive à morte corporal. Não parece claro por que acreditava que isso preencheria o buraco que encontrara na ética. A mente poderia sobreviver à morte, para em seguida dar em um outro mundo igualmente caótico. De rigorosa honestidade em suas investigações, Sidgwick morreu sem ter encontrado qualquer prova da existência póstuma. Na velhice, disse a um amigo: "Olhando em retrospecto para minha vida, pouco vejo além de horas perdidas."

Ainda que tivesse encontrado a prova da vida após a morte que tanto buscava, Sidgwick talvez não ficasse satisfeito. Anos após a sua morte, um médium apresentou um texto supostamente ditado por ele. "Sidgwick" informava ter sobrevivido à morte corpórea, encontrando-se em um outro mundo; mas "o Grande Problema" continuava sem solução. O universo permanecia misterioso como sempre. Confuso na morte como fora em vida, "Sidgwick" concluía: "É tão impossível resolver o enigma da morte morrendo quanto solucionar o problema da vida nascendo."[17]

BERTRAND RUSSELL, CÉTICO
CONTRA A VONTADE

Mill era um empírico, sustentando que todas as nossas crenças devem basear-se na experiência. Mas nem ele nem qualquer dos pensadores seculares que o seguiram submetiam sua crença no progresso a qualquer teste empírico. A posteridade liberal de Mill não foi capaz de alinhar seu empirismo com a crença no constante aperfeiçoamento.

O caso do afilhado de Mill, Bertrand Russell, cujas opiniões sobre a filosofia da história de Marx foram examinadas no capítulo anterior, é bem instrutivo. Nascido em 1872 em uma família liberal aristocrática — seu avô, lorde John Russell, introduzira a Grande Lei de Reforma de 1832, que ampliou os direitos de cidadania —, ele foi educado em casa, como Mill. Seu pai, lorde Amberley, foi um ateu que deixou em testamento instruções para que o filho fosse criado no agnosticismo, mas a avó de Russell, a condessa Russell, derrubou a exigência na justiça, e assim ele foi criado como cristão. Depois de uma infância solitária na qual registrava suas dúvidas sobre o cristianismo em um diário secreto escrito em código, ele abandonou a crença cristã depois de ler a *Autobiografia* de Mill aos 18 anos.

Mas continuou preocupado com a religião. E teve algumas experiências místicas ao longo da vida. Uma delas ocorreu em 1901, ao visitar a esposa acamada de A. N. Whitehead, um colega em Cambridge:

> De repente o solo pareceu ceder sob meus pés, e eu me vi em uma região completamente diferente. Em questão de cinco minutos passei por reflexões como estas: a solidão da alma humana é insuportável; nada é capaz de penetrá-la, senão a maior intensidade do amor pregado pelos mestres religiosos; o que quer que não decorra dessa motivação é nocivo, ou na melhor das hipóteses inútil; segue-se que a guerra é um equívoco, que a educação em escolas públicas é abominável, que o uso da força deve ser reprovado e que, nas relações humanas, deve-se penetrar no cerne da solidão em cada pessoa e sobre isso falar [...]. Ao cabo desses cinco minutos, eu me tornara uma pessoa totalmente diferente. Por algum tempo, fui possuído por uma espécie de iluminação mística [...].[18]

A obra lógica de Russell, na qual exerceu pioneirismo mundial, servia a um impulso místico. Por algum tempo ele aparentemente acreditou que podem existir verdades matemáticas em um domínio platônico eterno além do

HUMANISMO SECULAR, UMA RELÍQUIA SAGRADA

tempo e do mundo visível. Até ser convencido do contrário por George Santayana, considerava que valores como bondade e verdade subsistiam nesse mesmo reino etéreo. Passou boa parte da vida investigando esse domínio celestial, mas nunca o encontrou.

Como o filósofo judeu holandês Benedict Spinoza, do século XVII, cuja versão do ateísmo examinaremos no capítulo 7, Russell buscava na matemática um conhecimento perfeito da verdade. Tinha plena consciência de que se tratava de uma busca religiosa. Em 1912, escreveu uma novela, *As perplexidades de John Forstice*, cujo protagonista alcança a paz interior ao aceitar que uma freira santa revelou uma realidade espiritual além do mundo humano. Mais perto do fim da vida, Russell considerou essa história "demasiado favorável à religião". Em sua *Autobiografia*, falaria de uma constante necessidade de algo que transcendesse o mundo humano:

> Eu me imaginei alternadamente liberal, socialista ou pacifista, mas nunca fui nada disso em um sentido profundo [...]. Aquilo que Spinoza chama de "amor intelectual de Deus" pareceu-me a pauta de vida mais interessante, mas eu não dispunha sequer do Deus um tanto abstrato que Spinoza se permitia para direcionar meu amor intelectual. Eu amei um fantasma, e ao amar um fantasma meu ser mais íntimo tornou-se por sua vez espectral [...]. O mar, as estrelas, o vento noturno em lugares desérticos significam mais para mim até mesmo que os seres humanos que mais amo, e tenho consciência de que o afeto humano, no fundo, é para mim uma tentativa de fugir à busca vã de Deus.[19]

Numa nota de rodapé datada de 1967, Russell escreve que isso "já não é verdade". Tendo casado quatro vezes e tido incontáveis casos amorosos, ele finalmente encontrou satisfação com a escritora americana Edith Finch, com quem veio a casar em 1952. Morreria em 1970.

Russell foi um cético por boa parte de sua longa vida e se dizia feliz por viver na dúvida. Mas alimentava vastas esperanças de transformação social, que não se justificariam propriamente em uma visão cética do mundo.

Submetendo a religião ao teste da dúvida cética, ele a considerava insatis-
fatória. Aparentemente não lhe ocorria aplicar o mesmo ceticismo a suas
altissonantes expectativas de aprimoramento do mundo. Temos aqui um
eloquente contraste com os céticos da Grécia antiga, que, pelo contrário,
cultivavam um certo distanciamento em relação ao mundo.

Uma "filosofia científica", escreveu Russell em 1928, seria capaz de gerar
uma "nova moral" que poderia "transformar nossa Terra em um paraíso".[20]
Ele não explicava como poderia se concretizar essa notável metamorfose.
Considerava que a razão não conduz os seres humanos à ação. Só as paixões
são capazes disso, e a razão era sua serva. Mas, se a razão não determina
os fins humanos, certamente não é capaz de reformular o mundo humano.
Pode apenas capacitar os seres humanos a alcançar seus objetivos de maneira
mais efetiva, quaisquer que sejam eles. Cético na filosofia, Russell tendia a
ser crédulo na política.

Eventualmente ele encarava realidades que a opinião liberal preferia
ignorar. Escrito depois de sua visita à Rússia soviética, onde esteve com
Lenin, seu livro *A prática e a teoria do bolchevismo* (1920) foi um dos
primeiros a assinalar que o assassinato em massa metódico era um fator
central do projeto bolchevista. "Grande parte do despotismo que caracteriza
os bolcheviques", escreve ele, "está na essência da sua filosofia social, e não
poderia deixar de ser reproduzida, ainda que de forma mais branda, onde
quer que essa filosofia se tornasse dominante". Russell deixava claro que o
bolchevismo era um veículo de necessidades religiosas: "Como fenômeno
social, o bolchevismo deve ser considerado uma religião, e não um movimento político comum."[21]

As percepções de Russell a respeito do regime bolchevista lhe valeram
a desconfiança da intelligentsia progressista por muitos anos. Ele voltou
às expectativas políticas convencionais da sua época ao visitar a China,
onde contraiu pneumonia; a informação de que teria morrido chegou a ser
espalhada, o que lhe permitiu ler seus próprios obituários. A solução para
as dificuldades chinesas, opinava ele em *O problema da China* (1922), era o
"socialismo internacional". Pacifista na Primeira Guerra Mundial, durante a
qual foi encarcerado por breve período em virtude da Lei de Defesa do Reino,

HUMANISMO SECULAR, UMA RELÍQUIA SAGRADA

além de destituído pelos colegas de seu título acadêmico no Trinity College, em Cambridge, ele se opôs ao rearmamento britânico perante a crescente ameaça do nazismo. Em 1940, acabou aceitando a necessidade da guerra. Quando a União Soviética se dotou de armas nucleares, ele argumentou em favor de um ataque nuclear preventivo que permitisse às potências ocidentais estabelecer um governo mundial. Mais tarde, viria a se tornar um destacado defensor do desarmamento nuclear unilateral.

Embora suas posições mudassem ao longo de uma vida tão longa, Russell nunca abriu mão da convicção de que a vida humana podia ser transformada pelo uso da razão. Não foi capaz de resolver o conflito entre a dúvida cética e a crença no progresso. Exceto pelo fim da vida, não teve tranquilidade de espírito.

Uma consciência subliminar de que sua visão da transformação social podia ser equivocada talvez explique a amizade de Russell com Joseph Conrad. Relatando seu primeiro encontro com o romancista, ele escreve:

conversamos com intimidade cada vez maior. Parecíamos penetrar camada após camada do que era superficial, até que gradualmente chegávamos ambos ao fogo central. Foi para mim uma experiência sem equivalente. Nós olhávamos nos olhos um do outro, meio estarrecidos e meio embriagados por nos encontrarmos em uma região assim. A emoção era intensa como o amor passional, e ao mesmo tempo universalmente abrangente. Eu saía dali perplexo, praticamente incapaz de encontrar meu caminho na vida cotidiana.[22]

Russell se sentia atraído por Conrad, e, com a aprovação do escritor, deu seu nome a seu filho, o historiador Conrad Russell. Ainda assim, jamais aceitou o ceticismo de Conrad em relação ao progresso. Ao contrário de Russell, Conrad — cuja versão do ateísmo será abordada no capítulo 6 — considerava a crença no aprimoramento humano tão ilógica quanto qualquer religião.

DE NIETZSCHE A AYN RAND

Poucos pensadores seriam mais diferentes que Henry Sidgwick e Friedrich Nietzsche. Sidgwick se mostrava invariavelmente escrupuloso na busca da verdade, ao passo que Nietzsche era um aventureiro intelectual que veio a duvidar do valor da verdade. Mas os dois convergiam em um ponto vital. Uma vez abandonado o teísmo, não só a moral religiosa como a própria "moral" devem ser questionadas. Nesse ponto, Sidgwick era mais radical que Mill e mais cético que Russell.

Seguindo o precedente cristão, Sidgwick considerava que a moral consistia em leis ou princípios universais.[23] Não era assim que os politeístas gregos entendiam a ética, não tendo uma concepção de "moral" tal como a entendemos hoje em dia. Eles encaravam a ética como a arte da vida, abrangendo a beleza e o prazer como valores não menos importantes que os que são considerados tipicamente "morais" pelas culturas cristãs e pós-cristãs.

Não é apenas a afirmação de que os valores "morais" devem ter precedência sobre os demais que foi herdada do cristianismo. O mesmo se aplica à crença de que todos os seres humanos devem pautar sua vida pela mesma moral. Não é o mesmo que dizer "se Deus está morto, tudo é permitido", como teria feito Nietzsche. (A frase na verdade é de um personagem do romance *Os irmãos Karamazov*, de Dostoievski, como veremos no capítulo 5.) Os seres humanos desenvolvem moralidades como parte da convivência, mas nenhuma delas é exclusivamente humana. Entendida como conjunto de princípios categóricos que unem todos os seres humanos, a própria "moral" é mais uma relíquia do monoteísmo — talvez a mais importante de todas.

A essa altura, o espectro do relativismo certamente entra em cena — como ocorreu no capítulo anterior, quando se sugeriu que a ciência não tem de resultar em uma única visão autêntica do mundo. Se existem muitas morais, pergunta-se então: como pode haver verdade na ética? Pois bem, se deixarmos o teísmo para trás, teremos de aceitar que os valores humanos não podem ser independentes das necessidades e decisões humanas.

HUMANISMO SECULAR, UMA RELÍQUIA SAGRADA

Certos valores podem ser humanamente universais — ser torturado ou perseguido é ruim para qualquer ser humano, por exemplo. Os valores universais, porém, não constituem uma *moral universal*, pois muitas vezes esses valores são conflitantes. Você quer mais liberdade ao preço de menos segurança? Ou paz, se isso significar constante injustiça? Quando indivíduos e grupos fazem escolhas entre valores universais conflitantes, estão criando sistemas morais diferentes. Quem quiser que o seu sistema moral desfrute das garantias de algo além do instável mundo humano vai ter de entrar para alguma religião de estilo antigo.

Na França, onde os ateus são mais cultivados que nos países de fala inglesa, Nietzsche continua um fator central no debate sobre religião. Pensadores como Georges Bataille exploraram as perspectivas de um "ateísmo difícil" que não dá como certo nenhum conjunto de valores. Hoje, o popular filósofo francês Michel Onfray reconhece o papel central de Nietzsche no ateísmo moderno, escrevendo que "Nietzsche introduziu a transvaloração ou inversão de valores: o ateísmo não é um fim em si mesmo. Descartar Deus, mas e depois, o quê? Uma outra moral, uma nova ética, valores nunca antes imaginados porque inimagináveis, essa inovação é o que permite chegar ao ateísmo e superá-lo. Tarefa hercúlea, que ainda não foi possível realizar".[24] Desses novos ateísmos não decorreu grande coisa. A "ateologia" de Bataille não levou a nada coerente, ao passo que a nova ética de Onfray se revela uma versão requentada do utilitarismo de Bentham. Mas pelo menos esses pensadores franceses reconhecem a existência de um problema nos valores ateus, em vez de se limitarem a regurgitar uma versão secular da moral cristã.

Considerando-se que Nietzsche é um dos autores ateus mais lidos de todos os tempos, sua ausência no discurso ateu de língua inglesa representa uma omissão interessante. Ele não é negligenciado por ter sido um precursor do fascismo. Nietzsche atacava o nacionalismo, zombava do Estado prussiano e ridicularizava o pseudodarwinismo que vinha surgindo como ideologia alemã dominante. Preferia a religião do Antigo Testamento à do Novo e detestava os antissemitas tão proeminentes na época — entre eles sua repugnante irmã Elisabeth Förster-Nietzsche, casada com um professor colegial antissemita com quem viajou ao Paraguai para fundar uma "colônia ariana", um dos muitos serviços prestados ao nazismo reconhecidos por Hitler quando compareceu ao seu funeral. Mas se Nietzsche não era um fascista nem um protonazista, tampouco era um liberal. Talvez por isso é que seja mantido à distância de boa parte do atual pensamento ateu.

Ateu *porque* rejeitava os valores liberais, Nietzsche é o fantasma no banquete humanista liberal. Em *O anticristo*, ele condenava a religião cristã nos termos mais veementes: "No cristianismo, os instintos dos subjugados e oprimidos são trazidos a primeiro plano: as classes inferiores é que nele buscam sua salvação."[25] Ao afirmar que o cristianismo começara como "religião de escravos", Nietzsche adentrava um terreno movediço. Sua versão das origens cristãs não é muito diferente da história cristã padrão, na qual Jesus conquista seus discípulos entre os pobres e marginalizados. Ele subestima a defasagem entre os ensinamentos de Jesus e a religião fundada por Paulo. Considerando Paulo "quintessencialmente judeu",[26] ele ignora que Paulo cortou as raízes judaicas do ensinamento de Jesus ao transformá-lo em um credo universal.

Embora possa ser um crítico convincente dos valores cristãos, Nietzsche não conseguiu ele próprio descartar esses valores. Filho de um pastor luterano, levou uma vida ascética. Havia sempre uma aura sobrenatural na sua figura. Ele abriu mão de uma brilhante carreira acadêmica em troca de uma vida de sábio itinerante. No início da década de 1880, vivendo em uma modesta hospedaria em Gênova, era conhecido pelos outros hóspedes como *il piccolo santo* — "o santinho". Visitando Turim em 1889, sofreu uma espécie de colapso nervoso ao ver um cavalo sendo espancado na rua, e passou a enviar cartas a amigos e a vários dignitários europeus, assinando-as como "Dionísio" ou "o Crucificado". As causas de sua loucura são controversas. Alguns a explicam como efeito colateral da sífilis, que pode ter contraído quando estudante. Até sua morte em 1900, ele ficou sob os cuidados da irmã, que censurava suas ideias em livros (em particular *Vontade de poder*, publicado postumamente) compostos por ela e outros com base em trechos extraídos de suas anotações.

Inimigo implacável do cristianismo, Nietzsche também era um incurável pensador cristão. Como os cristãos que desprezava, encarava o animal humano como uma espécie carente de redenção. Sem Deus, a humanidade enfrentaria o "niilismo", uma vida sem significado. Mas o niilismo poderia ser evitado se os seres humanos gerassem pela vontade o significado que Deus havia assegurado. Só alguns poucos seriam capazes dessa proeza. Esses indivíduos excepcionais — os super-homens louvados em *Assim falou Zaratustra* — redimiriam a humanidade de uma existência sem sentido. O *Übermensch* de Nietzsche, o super-homem, desempenhava um papel semelhante ao do Cristo.

O pensamento de Nietzsche ainda hoje é uma influência determinante. E se revela particularmente importante quando sua influência é negada. Podemos encontrar um exemplo na obra de uma das autoras ateias mais influentes do século passado, Ayn Rand.

Certos filósofos poderão sentir-se melindrados com a inclusão de Rand em uma relação de pensadores ateus. Mas ela é uma das autoras ateias mais lidas, e a única que teve algum impacto na política contemporânea. Condenando sua filosofia como uma traição da razão, Rand repudiava totalmente Nietzsche. Não resta dúvida, porém, de que seu modo de pensar foi moldado por uma versão das ideias dele.

Nascida na Rússia em 1905, Rand deixou a União Soviética aos 20 anos. O primeiro romance que publicou, *Nós, os vivos* (1936), relato fantasioso de suas experiências no início do período soviético, contém algumas pistas das origens do pensamento filosófico que viria a desenvolver. A heroína do romance, Kira Argounova, também tenta deixar a União Soviética, mas não consegue, e morre nesse processo. Kira tem um amante bolchevista, a quem admira não por seus valores e objetivos, mas sim pela brutalidade com que os persegue. Vários trechos da primeira edição do livro dando conta dessa admiração seriam eliminados pela autora em edições posteriores.

No prefácio à edição americana publicada em 1959, Rand informava ao leitor que em certas passagens havia "reescrito as sentenças e esclarecido seu significado, sem alterar o conteúdo [...]. O romance continua

60 SETE TIPOS DE ATEÍSMO

sendo o que era e como era".[27] Sua afirmação de que nada importante fora alterado era capciosa. Ela havia feito revisões cruciais. Em consequência, a primeira edição tornou-se um livro raro que pode custar dezenas de milhares de dólares.

Consultando a primeira edição, encontrei o seguinte diálogo entre Kira e seu amante comunista, Victor. Kira diz a Victor — que "parecia um tenor de ópera italiana [...] ombros largos, olhos negros ardentes, cabelos negros ondulados e revoltos, sorriso cintilante, uma saudável e arrogante segurança em cada movimento" — por que admira sua brutalidade:

> Eu detesto seus ideais. Mas admiro seus métodos. Quando a gente acredita que está certo, não deve esperar convencer milhões de tolos, basta forçá-los [...]. O que *são* as massas senão lama debaixo dos pés, combustível a ser queimado para os que o merecem? O que é o povo senão milhões de almas pequenas, encolhidas e indefesas sem pensamento próprio, sem sonhos, sem vontade, que comem e dormem e mascam impotentes as palavras postas em seus cérebros bolorentos?[28]

Aqui — e, de maneira menos clara, nos escritos de Rand em geral — uma violenta rejeição da ética de sacrifício do cristianismo se combina com a disposição de sacrificar incontáveis vidas humanas em nome de uns poucos indivíduos que se consideram superiores.

Boa parte do que parece estranho na vida e obra de Rand fica mais claro quando são levadas em consideração as ideias de Nietzsche, ou pelo menos uma versão vulgarizada delas. A esse respeito, é eloquente a admiração por William Hickman que ela manifestou em seu diário em 1928. Criminoso que assassinou e esquartejou uma menina de 12 anos que havia sequestrado para pedir resgate, Hickman talvez não parecesse um candidato muito provável ao título de *Übermensch*. Mas Rand aprovava uma fala atribuída a ele — "O que é bom para mim está certo" —, comentando em seu diário: "A melhor e mais forte expressão da psicologia de um verdadeiro homem que eu jamais ouvi."[29]

A frase de Hickman está longe de qualquer coisa que possa ser extraída de Nietzsche. Ao dissecar os valores humanos em *Genealogia da moral*,

HUMANISMO SECULAR, UMA RELÍQUIA SAGRADA

Nietzsche constatava seu caráter intrinsecamente conflitante. O bem podia decorrer do mal; a verdade, da mentira. Algumas das mais preciosas conquistas da civilização derivaram do erro e da ilusão. A moral cristã ascética que ele detestava originara uma paixão pela verdade que culminou no ateísmo. Em Rand, não encontramos essa sutileza.

Seus pontos de vista nem sempre foram tão excêntricos quanto parecem hoje. Entre 1890 e as revoluções de 1917, praticamente toda pessoa alfabetizada na Rússia teve contato com alguma variante das ideias de Nietzsche.[30] Havia cristãos nietzscheanos e pagãos nietzscheanos, bolchevistas nietzscheanos e czaristas nietzscheanos. Os jovens se mostravam particularmente sintonizados com as ideias de Nietzsche, que permeavam a música de Alexander Scriabin e as obras de Máximo Gorki. Na Rússia em que Rand cresceu, Nietzsche era uma influência cultural onipresente. Não surpreende, assim, que suas atitudes refletissem as que eram popularmente associadas a ele.

Mais interessante é a maneira como Rand adaptou sua versão das ideias de Nietzsche à mitologia popular americana. Combinando-as a empréstimos tomados a Aristóteles e John Locke, ela chamava de "objetivismo" a mistura daí resultante. Escreveu uma bíblia para os fiéis nas 1.200 páginas de *A revolta de Atlas*, publicado em 1957, e que vendeu milhões de exemplares.

No livro, o *Übermensch* de Nietzsche, representado em *Nós, os vivos* como um comissário bolchevique, tornava-se um heroico capitalista americano, John Galt. Prevendo a iminente destruição do corrupto capitalismo de sua época, Galt oferece aos outros capitalistas a salvação em uma comunidade secreta, a Ravina de Galt, um enclave em um vale das montanhas do Colorado que será preservado no fim dos tempos que se aproxima. Um fato a respeito de *A revolta de Atlas* que passou despercebido é que vem a ser uma reinvenção do mito apocalíptico cristão. Também aqui Rand se inspirava em Nietzsche.

Em termos éticos, Rand promovia uma versão radical do racionalismo, segundo a qual a moral pode derivar de princípios lógicos. Examinar seus argumentos sobre esse ponto de vista seria tedioso, pois são absolutamente tolos. É mais útil considerar a visão de mundo ética que ela promovia. Na obra de Rand, a defesa do individualismo aristocrático por parte de Nietzsche se transformou em uma apologia do capitalismo de laissez-faire. O *Übermensch* ressurgia como um indignado empresário reclamando dos impostos.

Na ética de Rand, o pior vício é o altruísmo. Em *The Virtue of Selfishness: a new concept of egoism*, de 1964, ela rejeitava qualquer concepção de moral que se voltasse essencialmente para o bem-estar dos outros. O único objetivo de um indivíduo racional deve ser seu próprio bem-estar. Mas a concepção de bem-estar em Rand era fortemente moralizada. Não é o bem-estar de nenhum ser humano concreto que importa, mas o de uma abstração carente de muitas qualidades humanas. Os seres humanos de verdade só intermitentemente são movidos por algo que possa ser identificado como interesse próprio racional. Eles precisam se sacrificar, às vezes em nome de outros com os quais se importam, e às vezes a serviço de ideias que podem ter pouco ou nenhum significado.

O culto de Rand se destinava a governar cada aspecto da vida. Como grande fumante que era, seus seguidores eram instruídos a fumar também. Ela não só fumava como usava piteira, e assim, quando se dirigia a plateias numerosas de fiéis, mil piteiras se moviam em uníssono com a sua.[31] Não foi à toa que os ultraindividualistas que se tornaram discípulos de Rand passaram a ser conhecidos no movimento como "o Coletivo". A escolha dos parceiros de casamento também era controlada. Na sua visão das coisas, seres humanos racionais não devem se associar aos que são irracionais. Não poderia haver pior exemplo disso do que duas pessoas unidas em casamento simplesmente pela emoção, e assim os oficiantes do culto tinham poderes para aproximar discípulos de Rand apenas de outros que também abraçassem a fé. Da cerimônia de casamento constava um juramento de devoção a Rand, seguido da abertura de *A revolta de Atlas* em uma página aleatória para leitura de um trecho do texto sagrado.[32]

Rand se pronunciou sobre uma ampla variedade de temas, inclusive qual era o melhor tipo de dança. Um único tipo de dança podia ser considerado

HUMANISMO SECULAR, UMA RELÍQUIA SAGRADA 63

racional. Alguns, como o tango, eram performances físicas semi-instintivas de baixo nível, carentes de conteúdo intelectual. Outros, talvez o foxtrote, eram rejeitados como excessivamente cerebrais. Qual seria então a única dança que, combinando mente e corpo, podia ser aprovada como autenticamente racional? O sapateado. Fred Astaire talvez não soubesse, mas encarnava as forças opostas de razão e instinto em uma síntese ideal. O sapateado era a forma cultural buscada por Nietzsche em sua primeira obra importante, *O nascimento da tragédia*: uma fusão de vitalidade dionisíaca e harmonia apolínea.

Poderia parecer improvável que um culto dessa natureza viesse a ter alguma influência na esfera pública. Mas as ideias mais loucas muitas vezes são as mais influentes, e a pseudofilosofia de Rand teve um impacto perfeitamente identificável na política americana. Mesclada ao fundamentalismo cristão, ela inspirou o Tea Party no século XXI. Um dos expoentes desse movimento, o senador Rand Paul (que não foi batizado em homenagem a ela: seu prenome é "Randall"), se declara um "grande fã" de Rand, embora também se diga católico. As ideias randianas tiveram influência na ordem pública americana. Alan Greenspan, ex-presidente do Federal Reserve Bank, foi discípulo de Rand e, apesar de excomungado por crentes mais ortodoxos por renegar as virtudes do padrão-ouro, nunca abriu mão inteiramente da fé objetivista. Mas devemos creditar a Greenspan eventuais espasmos de dúvida. Em depoimento em uma comissão do Senado em outubro de 2008, após a grande quebra financeira, ele reconheceu que sua "ideologia" do livre mercado talvez fosse "falha" como descrição da "maneira como o mundo funciona".

Apesar de seus absurdos, ou por causa deles, a versão randiana do ateísmo foi uma das mais amplamente disseminadas na segunda metade do século XX. O maior significado de suas ideias, porém, não é sua popularidade. Ele está na demonstração do caráter multiforme do ateísmo, que inspirou muitas variedades de ética e política.

Os modernos ateus podem ser individualistas, como Rand, socialistas, como Karl Marx, liberais, como John Stuart Mill, ou fascistas, como Charles Maurras. Podem reverenciar o altruísmo como manifestação de tudo que é autenticamente humano, nisto seguindo Auguste Comte, ou vilipendiar os altruístas por considerá-los perfeitamente anti-humanos, como Ayn Rand. Sem exceção, esses ateus se convenceram de estar promovendo a causa da humanidade. Em todos os casos, a espécie cujo progresso acreditavam estar promovendo era um fantasma da própria imaginação.

Os antigos ateus eram mais isentos. A filosofia dos epicuristas — belamente apresentada por Lucrécio no seu *De Rerum Natura* (*A natureza das coisas*) — promovia uma ética na qual os prazeres nobres e a paz de espírito são os principais objetivos da vida humana. Os epicuristas queriam se isolar dos sofrimentos dos outros seres humanos. Os primeiros versos do Livro Segundo do poema de Lucrécio expressam serena indiferença à massa humana por eles cultivada:

> Que alegria, quando os ventos fortes da tempestade
> Agitam as águas de um mar poderoso,
> Observar da praia as dificuldades de alguém.
> Não é prazer pelo sofrimento alheio,
> Mas alegria por ver os males de que somos poupados,
> E alegria de ver grandes exércitos em conflito
> Nas planícies, estando você próprio livre de perigo.[33]

Observando calmamente enquanto os outros afundavam no sofrimento, os epicuristas estavam satisfeitos no tranquilo retiro de seus jardins isolados. A "humanidade" podia fazer o que bem lhe aprouvesse. Não era problema deles.

3. Uma estranha fé na ciência

Em 1929, o selo editorial Thinker's Library, criado pela Associação de Imprensa Racionalista de Londres para conter a influência da religião na Grã-Bretanha, lançou uma tradução inglesa do livro *O enigma do universo*, publicado em 1899 pelo biólogo alemão Ernest Haeckel. Tendo vendido um milhão de exemplares na Alemanha, o livro foi traduzido para uma dúzia de idiomas. Fortemente hostil às tradições judaica e cristã, Haeckel fundou uma nova religião chamada monismo, que se disseminou amplamente entre intelectuais na Europa central. Entre os fundamentos do monismo estava uma "antropologia científica", segundo a qual a espécie humana era composta de uma hierarquia de grupos raciais, tendo os europeus no topo.

Na época, não eram incomuns manifestações de um "racismo científico" em livros de promoção do racionalismo. A Thinker's Library também divulgava obras de Julian Huxley, neto de Thomas Henry Huxley, o biólogo vitoriano que ficou conhecido como "o buldogue de Darwin" por sua vigorosa defesa da seleção natural. Defensor, como Haeckel, de uma "religião da ciência", Julian Huxley juntou-se a ele na promoção, de teorias de desigualdade racial inata. Em 1931, escreveu haver "certa quantidade de provas de que o negro é na evolução humana um produto anterior ao mongol ou ao europeu, cabendo, portanto, esperar que tenha avançado menos, tanto no corpo quanto na mente".

No início do século XX, atitudes como essa eram lugar-comum entre os racionalistas. Em seu best-seller *Anticipations* (1901), H. G. Wells, outro colaborador da Thinker's Library, escreveu sobre uma nova ordem mundial governada por uma elite científica arregimentada entre os povos mais avançados do mundo. A respeito do destino dos povos "atrasados" ou "ineficientes", escreveu ele: "E quanto ao resto, esses enxames de negros e mulatos, de brancos escuros e amarelos que não atendem às necessidades da eficiência? Pois bem, o mundo é um mundo, e não uma instituição de caridade, e só posso presumir que terão de partir [...]. Cabe a eles morrer e desaparecer."[1]

No fim da década de 1930, esses pontos de vista se tornavam suspeitos. Em 1935, poucos anos depois de se referir ao "negro" como produto menos avançado da evolução humana, Huxley escreveu que "o conceito de raça dificilmente pode ser definido em termos científicos". Nos anos decorridos entre esses dois pronunciamentos não houvera qualquer desdobramento importante em biologia ou antropologia. O que alterou a visão de Huxley foi a ascensão do nazismo, que mostrou como as teorias raciais podiam ser aplicadas na prática. Depois da Segunda Guerra Mundial, Huxley não voltou a se pronunciar sobre questões raciais, embora nunca tivesse abandonado a crença no aprimoramento da qualidade da população humana por meio da eugenia — posição que também compartilhava com Haeckel.

O "humanismo evolucionista" de Huxley sustentava que, para que a humanidade se elevasse a um nível mais alto, a evolução teria de ser conscientemente planejada. Certos pensadores religiosos o seguiram nesse sentido. A. N. Whitehead (1861-1947) e Samuel Alexander (1859-1938) desenvolveram um tipo de "teologia evolucionista" em que o universo se tornava mais consciente de si mesmo — processo que culminaria no surgimento de um Ser Supremo muito parecido com o Deus da religião monoteísta. O teólogo jesuíta francês Pierre Teilhard de Chardin (1881-1955) desenvolveu uma visão semelhante, na qual o universo evoluía em direção a um "Ponto Ômega" de consciência máxima.

Todas essas filosofias se baseiam em uma ideia de evolução, mas há um problema. Tal como visto na teoria de Darwin, o universo de modo algum evolui para um nível mais elevado. Pensar na evolução como um movimento em direção a maior consciência é ignorar o feito de Darwin, que consistiu em expungir da ciência a teleologia — a explicação das coisas em termos de propósitos a que podem servir, e não das causas que as geraram. Como ele escreveu em sua *Autobiografia*, "não parece haver mais propósito na variabilidade dos seres orgânicos e na ação da seleção natural do que na direção tomada pelo vento".[2]

Como Darwin deixa claro nessa passagem, a seleção natural é um processo sem finalidade. Mas nem sempre a visão que sustentou foi essa. Na última página de *Da origem das espécies*, ele escreveu:

> Podemos estar certos de que a sucessão habitual das gerações nunca foi interrompida uma vez sequer, e de que nenhum cataclismo devastou o mundo inteiro. Podemos assim contemplar com certa confiança um futuro de grande extensão. E, como a seleção natural funciona exclusivamente para o bem de cada ser, todos os dotes corporais e mentais tenderão a progredir até a perfeição.[3]

Com efeito, a teoria da seleção natural não contém nenhuma ideia de progresso ou perfeição. A permanente incapacidade de Darwin de aceitar a lógica da sua própria teoria é reveladora. Vitoriano eminente, ele não podia deixar de acreditar que a seleção natural favorecia o "progresso até a perfeição". Muitos pensadores menos escrupulosos o seguiram nessa convicção. Mas ela não vai de encontro apenas à descrição da evolução por Darwin como um processo não direcionado. Se a evolução tivesse uma direção, os seres humanos não precisariam aceitá-la. E se o mundo estivesse evoluindo para novas formas de escravidão? Nesse caso, seria melhor resistir à evolução do que acompanhá-la.

EVOLUÇÃO *VERSUS* ÉTICA

Os riscos de confundir evolução com ética foram reconhecidos pelo avô de Julian Huxley. A T. H. Huxley demonstrou preocupação que a descrição por Darwin da seleção natural viesse a ser usada para promover ideologias, como o individualismo vitoriano. Ele se opunha fortemente ao que chamava de "teoria gladiatória da existência": a aplicação equivocada da ideia de "sobrevivência do mais apto" a questões sociais. Em conferência proferida em Oxford em 1893, três anos antes de morrer, Huxley observou:

> A evolução cósmica pode nos ensinar de que maneira surgiram as tendências boas e más do homem: mas em si mesma não é capaz de fornecer qualquer razão melhor do que as que já conhecíamos para explicar por que o que chamamos de bem é preferível ao que chamamos de mal [...]. O individualismo fanático da nossa época tenta aplicar a analogia da natureza cósmica à sociedade [...]. O processo cósmico não tem qualquer relação com os fins morais [...]. Entendamos de uma vez por todas que o progresso ético da sociedade não depende da imitação do processo cósmico, nem muito menos de tratar de evitá-lo, mas de combatê-lo.[4]

A equiparação da evolução ao progresso é um uso equivocado do darwinismo que antecede a própria teoria de Darwin. Herbert Spencer, o profeta vitoriano do capitalismo de laissez-faire, identificava os dois em seu livro *Estática social*, publicado em 1851. Foi Spencer quem cunhou a expressão "sobrevivência do mais apto", em seu livro *Princípios de biologia* (1864), escrito depois da leitura de *A origem das espécies* (1859), de Darwin. Mais tarde, o próprio Darwin adotaria a expressão, embora nunca a usasse para fins políticos.

Apesar das advertências de Huxley, evolução e progresso continuam a ser confundidos. As livrarias estão cheias de volumes que afirmam revelar a evolução da moral. Se a teoria de Darwin é verdadeira — e é até agora o melhor relato de como surgiu o animal humano —, os sistemas morais que os seres humanos praticam devem ter uma explicação evolucionista. O que, no entanto, nada diz sobre que moral se deve adotar, ou se acaso devemos até mesmo ser morais. Como assinalou Huxley em sua conferência, moralidade e imoralidade são igualmente produtos da evolução: "O ladrão e o assassino seguem a natureza tanto quanto o filantropo."

As teorias da evolução social espelham as modas intelectuais de cada época. Se Herbert Spencer usou ideias evolucionistas para justificar um capitalismo descontrolado, Haeckel e o primeiro Julian Huxley usaram as mesmas ideias para promover a crença na superioridade racial europeia. Outros as usaram para dar sustentação a suas visões políticas. Em um livro que escreveu com seu marido, Sydney Webb — *O comunismo soviético: uma nova civilização?*, publicado em 1935 —, a socióloga Beatrice Webb, a certa altura assistente de Herbert Spencer, afirmou que a Rússia de Stalin representava a próxima etapa da evolução social. (O ponto de interrogação seria retirado de edições posteriores.) Em um ensaio famoso, "O fim da história?", publicado na revista americana *National Interest* no verão de 1989, Francis Fukuyama não tinha dúvidas de que estava em andamento um processo evolutivo que levaria ao avanço do "capitalismo democrático" na maior parte do mundo. Como os Webb, Fukuyama viria a eliminar o ponto de interrogação, que não aparece em seu livro *O fim da história e o último homem* (1992). Nem os Webb nem Fukuyama tiveram seus prognósticos confirmados pelos acontecimentos.

A evolução social é uma ideia excepcionalmente ruim. Mas as ideias ruins raramente evoluem para outras melhores. Pelo contrário, passam por mutações, se reproduzindo sob novas formas.

RACISMO E ANTISSEMITISMO NO ILUMINISMO

Quando Ernest Haeckel e Julian Huxley usavam a ciência para promover ideias de superioridade racial europeia, tomavam um caminho desbravado por pensadores racionalistas anteriores. Diferentes versões do racismo têm antecedentes nos escritos de alguns dos principais filósofos do Iluminismo.

Hoje em dia se fala constantemente de "valores iluministas", nos quais se presume que tenham caráter central a dignidade e a igualdade humanas. Mas, se examinarmos as figuras mais celebradas do Iluminismo — David

Hume, Immanuel Kant e Voltaire —, veremos que as ideias de hierarquia racial são centrais no seu pensamento. Boa parte do Iluminismo foi uma tentativa de demonstrar a superioridade de uma parte da humanidade — a da Europa e de seus postos avançados coloniais — sobre todo o resto.

Os evangelistas do Iluminismo dirão que se tratava de um desvio do "verdadeiro" Iluminismo, que é inocente de todo mal. Assim como os crentes religiosos dirão que o "verdadeiro" cristianismo não teve qualquer participação na Inquisição, os humanistas seculares insistem em que o Iluminismo não foi responsável pela ascensão do racismo moderno. O que é comprovadamente falso. A moderna ideologia racista é um projeto iluminista.

Veja-se o caso de David Hume. Em uma nota ao seu ensaio sobre "O caráter nacional", o cético escocês escreveu:

> Eu tendo a desconfiar de que os negros, e de modo geral todas as outras espécies de homens (pois existem quatro ou cinco tipos diferentes), são naturalmente inferiores aos brancos. Nunca houve uma nação civilizada de nenhuma outra cor senão a branca, como tampouco qualquer indivíduo eminente pela ação ou a especulação. Nenhum engenhoso manufator entre eles, nenhuma arte, nenhuma ciência. Por outro lado, os mais rudes e bárbaros entre os brancos, como os antigos alemães, os tártaros de hoje, ainda assim têm algo de eminente, na sua coragem, forma de governo ou alguma outra particularidade. Uma diferença assim uniforme e constante não poderia ocorrer em tantos países e épocas se a natureza não tivesse feito uma distinção original entre essas raças de homens. Sem mesmo mencionar nossas colônias, há negros dispersos por toda a Europa, nenhum dos quais jamais revelou quaisquer sintomas de engenhosidade, embora pessoas de origem inferior, sem educação, sejam capazes de se lançar entre nós e se distinguir em qualquer profissão. Na Jamaica, com efeito, fala-se de um negro como um homem de cultura e talentos; mas é como se ele fosse admirado por realizações muito exíguas, como um papagaio capaz de falar algumas palavras com clareza.

As afirmações de Hume foram usadas por Kant — e foram eles os dois maiores filósofos do Iluminismo — para declarar que "os negros da África

UMA ESTRANHA FÉ NA CIÊNCIA 71

não têm por natureza qualquer sentimento que se eleve acima do trivial". Em suas *Observações sobre o belo e o sublime*, Kant escreveu:

> O Sr. Hume desafia qualquer um a citar um simples exemplo em que um negro tenha evidenciado talentos, e afirma que entre as centenas de milhares de pretos transportados dos seus países para outras partes, embora muitos tenham sido libertados, até hoje não se encontrou um único que apresentasse algo grande na arte ou na ciência ou qualquer outra qualidade digna de louvor, muito embora entre os brancos alguns constantemente se elevem acima do populacho mais baixo, conquistando o respeito do mundo por meio de dotes superiores. Fundamental, portanto, é a diferença entre essas duas raças de homens, que parece tão pronunciada no que diz respeito às capacidades mentais quanto à cor.[5]

Hume e Kant não estavam assim tão longe de dizer que os negros pertencem a alguma espécie antropoide inferior. A ideia de que espécies pré-humanas perduram sob a aparência de seres humanos não era nova. Relatos poligenéticos das origens humanas eram feitos pelo menos desde a descoberta do Novo Mundo. O filósofo renascentista Paracelso escreveu que os povos indígenas americanos não descendiam do Adão bíblico, mas de uma origem que produzira ninfas e sereias — criaturas sem alma. Uma justificação teológica disso foi tentada a partir de meados do século XVI com a teoria pré-adâmica, segundo a qual certos seres humanos descendiam de uma espécie que existiu antes de Adão.

Isso era oposto ao relato bíblico, no qual todos os seres humanos são igualmente descendentes de Adão e Eva, e por esse motivo a teoria pré-adâmica foi rejeitada por muitos pensadores cristãos. Entre os críticos mais contundentes estava Bartolomé de Las Casas, contemporâneo de Cristóvão Colombo, ex-proprietário de escravos e mais tarde feito bispo de Chiapas, que criticava os maus-tratos infligidos aos indígenas e seu assassinato em massa pelos conquistadores, declarando que "todos os povos do mundo são homens".[6]

Uma versão diferente da teoria pré-adâmica foi desenvolvida por Isaac La Peyrère (1596-1676), teólogo calvinista nascido em Bordeaux em uma família de marranos — judeus-portugueses forçados a ocultar sua fé convertendo-se ao cristianismo, e que então haviam fugido para a França, para escapar da constante perseguição da Inquisição. Em 1655, La Peyrère publicou em latim o volume *Prae-Adamitae*, traduzido para o inglês como *Men before Adam* [Homens antes de Adão], sustentando que o mundo já estava cheio de seres humanos quando Deus criou Adão e Eva. Adão não era pai de toda a humanidade, mas apenas do povo judeu, escolhido por Deus para receber a lei divina, e, por meio de Jesus, levar a redenção a toda a humanidade. Valendo-se do pré-adamismo para pregar a tolerância, La Peyrère não escalonava diferentes tipos de seres humanos em qualquer hierarquia. O que, como interpretação do Gênesis, era altamente provocador: o livro foi queimado; e seu autor, detido por heresia. Após longo interrogatório e uma entrevista com o papa, La Peyrère foi obrigado a abjurar e se converter ao catolicismo. Passando o resto da vida em retiro, ficaria impossibilitado de desenvolver suas ideias.

De modo geral, a função das teorias pré-adâmicas nos séculos XVI e XVII era legitimar a escravização de povos indígenas. Posteriormente, essas teorias seriam reformuladas em termos "científicos" seculares, passando a integrar o arsenal intelectual do racismo moderno. Figuras como o físico, etnógrafo e "craniólogo" americano Samuel George Morton (1799-1851) sustentavam com base em provas supostamente científicas que havia várias espécies de seres humanos, com tamanhos diferentes de crânio e níveis igualmente diferentes de capacidade intelectual, sendo os africanos os menos inteligentes.

Na Itália do fim do século XIX, o criminologista Cesare Lombroso sustentava que os comportamentos criminosos podiam ser explicados em termos de ativismo ou degeneração — a tendência inata de certos seres humanos a voltar a um estado de selvageria —, afirmando que os brancos eram física e intelectualmente superiores a todos os outros seres humanos. Lombroso deixava claro que dava continuidade a uma corrente de pensamento iniciada no positivismo francês, que pretendia alicerçar o estudo da sociedade na fisiologia. Para ele e muitos outros, o "racismo científico" era parte integrante do Iluminismo.

UMA ESTRANHA FÉ NA CIÊNCIA 73

Embora os missionários dos "valores iluministas" no século XXI resistam a admitir o fato, o racismo moderno derivou da obra dos *philosophes* do Iluminismo. Voltaire foi uma figura decisiva nesse processo. Ao contrário de Hume e Kant, ele não deu nenhuma contribuição à filosofia. Poucos verbetes do seu famoso *Dicionário filosófico* têm algo a ver com questões filosóficas. Ele é importante basicamente como encarnação da mentalidade do Iluminismo, que incluía uma versão racionalista do racismo.

Voltaire aparentemente nunca foi ateu. Em um de seus primeiros poemas, ele escreveu que abrira mão do cristianismo para melhor amar a Deus, e contemplando a bela vista da sua casa de campo exclamou certa vez para um visitante: "Deus Todo-Poderoso! Eu acredito!" No *Dicionário filosófico*, observou: "A princípio pode parecer um paradoxo, mas um exame mais atento prova que é verdade: a teologia com frequência atirou a mente dos homens no ateísmo, até que a filosofia finalmente viesse afastá-la dele."[7] Não há motivos para pensar que essa não fosse uma convicção sincera de Voltaire.

Embora o maior dos *philosophes* não fosse um filósofo, sua vida revelou uma extraordinária capacidade de pensamento. Nascido em Paris em 1694 e educado em um colégio jesuíta, Voltaire literalmente se fez por si mesmo. Seu verdadeiro nome era François-Marie Arouet. Ele passou a se identificar como M. Arouet de Voltaire em 1718. A partícula aristocrática "de" indicaria origem nobre, mas sua família era solidamente burguesa (seu pai era contador). Como "Voltaire" não existia, François-Marie Arouet achou necessário inventá-lo. Ele morreu em 1778.

Usando sua nova persona, Voltaire conseguiu tornar-se o homem que queria ser. Rondando a corte francesa, desfrutando por um período das atenções de Madame de Pompadour, convivendo com o "déspota esclarecido" Frederico o Grande, tornando-se o primeiro autor moderno de best-sellers e fazendo uma fortuna com uma sucessão de audaciosos empreendimentos, alguns duvidosos, ele veio a se tornar uma das figuras mais famosas da época. Avaro e ao mesmo tempo generoso ocasionalmente, ajudando muitos em seus infortúnios e lutas contra a injustiça, acometido de gota, escorbuto, hidropisia, herpes e toda uma série de outras enfermidades, mas sempre persistente no trabalho, ele morreu muito rico. Sua volumosa obra, abrangendo longos livros de história e poemas épicos, não deixou muitos traços. Só *Cândido, ou o otimismo* — encantadora sátira do otimismo em que Voltaire ridiculariza a afirmação de Gottfried Wilhelm Leibniz, filósofo racionalista alemão, de que o nosso é "o melhor dos mundos possíveis" — ainda é lido hoje.

O racismo de Voltaire não era apenas o racismo da sua época. Como Hume e Kant, ele conferiu autoridade intelectual ao racismo, afirmando que se escorava na razão. Em uma carta, zombava do relato bíblico sobre uma origem humana comum, perguntando se os africanos descendiam dos macacos ou os macacos dos africanos. Imprimiu novos contornos à teoria pré-adâmica ao afirmar que os adâmicos pertenciam a uma espécie inferior. Todos os outros seres humanos eram pré-adâmicos, embora os negros e outros homens de cor fossem versões degeneradas da espécie, que só se desenvolvera plenamente na Europa. Para florescer, a civilização europeia precisava se purificar da influência adâmica, o que significava voltar aos valores do mundo clássico, antes de ser corrompido pela religião judaica por meio do cristianismo.

Hoje em dia os pensadores iluministas ficam constrangidos com o racismo das figuras fundadoras. Quando não podem negar a evidência, apontam para fatos parecendo indicar que o Iluminismo é essencialmente benigno. A Revolução Francesa declarou os direitos universais do homem — declaração que a 28 de janeiro de 1790 mencionava explicitamente os judeus como titulares dos direitos de "cidadãos ativos". Como então podia o pensamento iluminista abrigar ideias racistas e antissemitas? Só podia ser um paradoxo afirmar que o Iluminismo pudesse ser veículo de conceitos tão nocivos: semelhantes ideias só podiam decorrer do Contra-Iluminismo reacionário. Na verdade, porém, o moderno antissemitismo secular se originou no próprio iluminismo.[8]

Mais que ninguém, foi Voltaire quem incorporou o preconceito antissemita ao pensamento iluminista. Em um de seus primeiros escritos, *Essai sur les Moeurs*, da década de 1750, ele escreveu a respeito dos judeus: "Eles

UMA ESTRANHA FÉ NA CIÊNCIA 75

preservaram todos os seus costumes, que são o exato oposto de todos os costumes sociais decentes; e portanto foram justificadamente tratados como pessoas opostas às demais, às quais serviam por cobiça e ódio, por fanatismo; eles transformaram a usura em um dever sagrado." O *Dicionário filosófico* de Voltaire está cheio de afirmações assim. No verbete sobre Abraão, ele se refere aos judeus como "povo mesquinho, ignorante, rude", acrescentando "só mesmo um grande ignorante ou um grande patife para dizer que os judeus ensinaram aos gregos". As únicas coisas verdadeiramente judias são "sua obstinação, suas novas superstições e sua usura santificada". Segundo Voltaire, o que de valor tenha surgido na vida judaica foi tomado de empréstimo aos gregos ou aos romanos, as verdadeiras fontes da civilização europeia.

Muitas vezes se afirma que o antissemitismo de Voltaire se explica exclusivamente por sua hostilidade ao cristianismo. Como disse um eminente estudioso do Iluminismo, Voltaire "batia nos judeus para bater nos cristãos".[9] É verdade que seus ataques aos judeus faziam parte de uma campanha de toda a vida contra a religião cristã. Mas ele também considerava que o cristianismo era um avanço em relação à fé judaica. Apesar de seus crimes e defeitos, o cristianismo continha algo da civilização pagã que havia destruído. A religião judaica (segundo Voltaire) era intrinsecamente hostil à civilização, antiga ou moderna.

A visão de Voltaire sobre os judeus expressa de maneira radical um tema que permeia todo o Iluminismo. Os seres humanos só se tornam o que realmente são quando abrem mão de qualquer identidade particular para se tornar partículas da humanidade universal. Os judeus certamente podiam entrar na cidade celestial dos filósofos oitocentistas,[10] mas só quando deixassem de ser judeus. Uma vez entendido isso, o enigma do antissemitismo iluminista é resolvido.

O racismo e o antissemitismo não são defeitos acidentais no pensamento iluminista. Eles derivam de algumas das crenças centrais do Iluminismo. Para Voltaire, Hume e Kant, a civilização europeia não era apenas a mais elevada que jamais existira. Era o modelo de uma civilização que viria a substituir todas as outras. O "racismo científico" do século XIX e do início do século XX deu continuidade a uma visão da humanidade promovida por alguns dos maiores pensadores iluministas.

O MESMERISMO, PRIMEIRA RELIGIÃO DA CIÊNCIA

Muitos têm sido os modernos cultos da ciência. O primeiro foi fundado pelo médico alemão Franz Anton Mesmer (1734-1815), que dizia ter descoberto uma energia universal, o magnetismo animal, que podia ser usada para curar distúrbios humanos: físicos, psicológicos e (para alguns discípulos de Mesmer) políticos. Ele promovia essa teoria em sessões públicas de cura que atraíam público numeroso em Paris e Viena. As sessões eram realizadas em estabelecimentos de luxo, como o Hôtel Bullion em Paris, em cujos imponentes salões espelhados ele criava um clima semelhante ao de uma sessão espírita. Pesadas cortinas proporcionavam isolamento acústico e deixavam entrar apenas uma luz filtrada. O curandeiro e seus pacientes se comunicavam com sussurros. Mais tarde essas sessões serviriam de inspiração para o formato das reuniões espiritualistas.

Mesmer também fundou uma sociedade secreta — a Sociedade da Harmonia — que foi apoiada por figuras de destaque como o marquês de Lafayette, o aristocrata francês que ganhara fama combatendo na Revolução Americana. Foi o aspecto conspiratório do trabalho de Mesmer que levou a investigações oficiais a seu respeito. As autoridades francesas desconfiavam que o mesmerismo pudesse encobrir alguma atividade política subversiva. Um grupo de médicos convocados por Luís XV examinou a prática do magnetismo animal, chegando a conclusões céticas e negativas. Condenado e desacreditado de seu trabalho, Mesmer fugiu para o exílio. Tendo passado os últimos anos de vida praticando na Suíça e na Alemanha, morreu quase esquecido. Mas suas ideias sobreviveram e tiveram grande influência.[11]

As suspeitas das autoridades francesas não eram infundadas. Um dos discípulos de Mesmer aplicou a teoria do magnetismo animal à causa da política radical durante a agitação que levou à Revolução Francesa, declarando: "Um novo mundo físico deve necessariamente ser acompanhado de um novo mundo moral."[12] Mas a influência política das ideias de Mesmer logo se desvaneceria. Na ciência e na medicina, elas estimularam o estudo da hipnose e das doenças psicossomáticas. O impacto do mesmerismo se estendeu a outras religiões modernas, como a Ciência Cristã — cuja fundadora, Mary Baker Eddy, negava qualquer dívida para com Mesmer, mas indubitavelmente foi influenciada por sua obra — e a teosofia, em que Helena Blavatsky louvava o mesmerismo como forma de magia esotérica. Há quem tenha sugerido paralelos entre Mesmer e Freud, pois ambos pareciam oferecer uma técnica de cura psicológica.[13]

O mesmerismo é o protótipo de posteriores sucedâneos de religião, como o monismo de Haeckel e o humanismo evolucionista de Huxley, empenhados em usar a ciência para transformar a condição humana. Com o avanço nos conhecimentos, os defeitos dos seres humanos podem ser eliminados, fomentando-se suas características mais admiráveis. Com efeito, os seres humanos podem se transformar em uma espécie superior. Mas quem decide como é essa espécie? Quais os seres humanos existentes que vão moldar os pós-humanos do futuro? Todos os cultos da ciência se deparam com as mesmas perguntas sem resposta.

A CIÊNCIA E A ABOLIÇÃO DO HOMEM

Para Leon Trotsky, estava claro como seria o novo modelo de humanidade. Em um panfleto publicado em 1924, ele escreveu:

> A espécie humana, o *Homo Sapiens* coagulado, vai mais uma vez entrar em um estado de transformação radical e, pelas próprias mãos, tornar-se objeto dos mais complicados métodos de seleção artificial e treinamento psicofísico [...]. É difícil prever o alcance de autogoverno que o homem do futuro pode ter ou as alturas a que pode levar sua técnica. A construção social e autoeducação psicofísica vão se tornar dois aspectos de um só e mesmo processo [...]. O homem vai se tornar incomensuravelmente mais forte, mais sábio e mais sutil; seu corpo vai se tornar mais harmônico, seus

78 SETE TIPOS DE ATEÍSMO

movimentos, mais rítmicos, sua voz, mais musical. As formas de vida vão se tornar dinamicamente dramáticas. O tipo humano médio vai se alçar às alturas de um Aristóteles, de um Goethe ou de um Marx. E acima dessa cordilheira novos cumes surgirão.[14]

Para certos humanistas seculares, a visão de Trotsky ainda hoje pode parecer inspiradora. Mas por que motivo escolher Aristóteles, Goethe e Marx (por sinal, todos do sexo masculino) como modelo de um novo tipo de ser humano? Por que determinadas qualidades humanas são mais valiosas que outras?

Em seu ensaio "A moral deles e a nossa", publicado em 1938, Trotsky apresentava uma reformulação "científica" da moral em termos da teoria da luta de classes exposta por Marx. Nessa visão, todas as formas de vida ética decorrem de uma classe; a mais alta é aquela que serve ao proletariado. Qualquer coisa que promova uma revolução proletária é justificada — inclusive fazer reféns e matá-los, prática de que Trotsky foi pioneiro na Guerra Civil Russa. Ele sustentou essa visão da ética por toda a vida. Em um ensaio publicado em 1920, denunciava a "tagarelice kantiano-sacerdotal e quaker-vegetariana" dos marxistas que hesitavam em recorrer ao terror.[15] Como Lenin antes dele, Trotsky considerava quaisquer meios justificados na promoção dos fins acertados. Quando Stalin mandou um de seus agentes matar Trotsky no exílio do México, onde foi assassinado em agosto de 1940, o líder soviético certamente considerava que o que havia ordenado também se justificava nesses termos.

O problema é que fins escolher. Talvez Trotsky achasse que não havia escolha, e o comunismo fosse o ponto final que adviria na história, fizesse ele o que fizesse. Mas, a menos que nos disponhamos a engolir a filosofia da história de Marx, não há motivos para pensar que assim seja. Ainda que a história estivesse predestinada a acabar no comunismo, nada decorreria daí quanto à maneira como se deveria levar a vida. Mesmo sabendo que a civilização burguesa estava fadada a acabar, um membro da burguesia poderia optar por lutar por ela até o fim. Foi a atitude assumida no início do século XX pelo economista austríaco Joseph Schumpeter, que considerava

UMA ESTRANHA FÉ NA CIÊNCIA 79

o socialismo inevitável mas detestava essa perspectiva. O fim da história para uma pessoa é o inferno na Terra para outra.

Essas dificuldades vão muito além do marxismo e solapam a fé no progresso que é o credo dos pensadores seculares de hoje. Se o progresso significa uma versão "mais avançada" da espécie humana, como podemos saber o que é mais ou menos avançado?

Essa pergunta foi o tema de *A abolição do homem*, livrinho presciente do linguista, teólogo e escritor de ficção científica C. S. Lewis, gestado em forma de conferência e publicado em 1943. Lewis sustentava que os pensadores progressistas que queriam reformar a sociedade, e eventualmente a própria espécie humana, não tinham como decidir o que significava o progresso. Para muitos, ele envolvia maior poder humano e sua utilização para fazer a Natureza servir aos objetivos humanos. No entanto, Lewis lembrava que o poder da humanidade sobre a Natureza significa na prática o poder de alguns seres humanos sobre outros. Se a sociedade for planejada de modo a maximizar o poder sobre a Natureza, outros valores humanos serão sobrepujados. Todo aquele que prezar esses valores não vai exercer o poder, sendo na verdade seu objeto.

Os pensadores progressistas da época de Lewis não tinham muito em alta conta a média dos seres humanos. Como Trotsky, consideravam-se capazes de conceber uma versão melhor do animal humano. Afinal, se a maioria dos seres humanos não é apenas atrasada, mas um verdadeiro obstáculo ao progresso, para que serve? Certamente seria melhor descartar esses espécimes inferiores. O futuro pertencia a uma espécie pós-humana. O resultado final da transformação da Natureza pela humanidade era a transformação da própria humanidade. Como escreveu Lewis, "a conquista final do homem revelou-se a abolição do homem".[16]

O ponto de vista de Lewis teve antecedentes muito bem identificados. Em 1923, o bioquímico J. B. S. Haldane publicou um ensaio que encontrou vasto público, *Dédalo: ou a ciência e o futuro*, no qual escreveu: "Não devemos levar excessivamente a sério os valores tradicionais."[17] Haldane considerava necessária uma nova ética alicerçada na ciência. Pouco disse

80 SETE TIPOS DE ATEÍSMO

sobre o que seria essa ética, embora o período que passou como membro do partido comunista e os anos que serviu como agente da inteligência militar soviética possam fornecer pistas. Em um livrinho publicado em 1929, *O mundo, a carne e o demônio: investigação sobre o futuro dos três inimigos da alma racional*, o eminente cristalógrafo J. D. Bernal — admirador de Stalin, como Haldane — foi mais longe, contemplando um futuro em que os seres humanos deixariam de ser organismos biológicos separados, tornando-se "completamente etéreos" em um raio de luz.

O futuro pós-humano foi acolhido por muitos pensadores progressistas na época de Lewis. Hoje, a abolição do homem é saudada por pensadores que se dizem transumanistas.

O TRANSUMANISMO COMO TECNOMONOTEÍSMO

Em seu livro *A singularidade está próxima: quando os humanos transcendem a biologia* (2005), o futurologista Ray Kurzweil contempla um explosivo avanço da ciência que permitirá aos seres humanos transcender o mundo físico e assim escapar da morte. Não deixa de ser significativo que tanto Bernal quanto Kurzweil tenham recorrido à Bíblia para a escolha dos títulos de seus livros: Bernal fazendo eco a uma passagem do Novo Testamento (Efésios 2:1-3), Kurzweil buscando inspiração em "O reino dos céus está próximo", de João Batista (Mateus 3:2). Conscientemente ou não, ambos dão a entender que o transumanismo é a religião reciclada como ciência.

Os transumanistas acreditam que os seres humanos são basicamente centelhas de consciência capazes de escapar à mortalidade se desvinculando da matéria decadente em que encarnaram. Derivando de filosofias místicas, como o platonismo e o gnosticismo, é uma ideia que vai de encontro ao materialismo científico. Para um autêntico materialista — por exemplo, o poeta e filósofo romano Lucrécio —, não há hipótese de a mente humana cortar seus elos com o mundo material. A própria mente é matéria e morre quando o corpo morre.

UMA ESTRANHA FÉ NA CIÊNCIA 81

Os transumanistas respondem que tecnologias que ainda não existiam na época de Lucrécio permitirão que a mente seja carregada em uma espécie de *upload* para o ciberespaço. Mas não fica claro se o que será carregado é uma mente consciente ou apenas um aplicativo espectral derivado do conteúdo do cérebro. Ainda que a consciência pudesse ser desvinculada do corpo humano em que foi gerada, a mente continuaria dependendo de um substrato de matéria. Os cadáveres rejuvenescidos que emergem da suspensão criônica serão objetos físicos, assim como os ciborgues para os quais certos transumanistas imaginam que suas mentes serão transferidas. As mentes desencarnadas flutuando no ciberespaço não escapariam a essa dependência. Se algo parecido com uma ciberconsciência vier a existir, será um artefato de objetos físicos — computadores e as instalações em rede de que dependem. Se essa infraestrutura material for destruída ou perturbada, as mentes que tiverem sido carregadas serão eliminadas. O ciberespaço é uma projeção do mundo humano, e não um modo de sair dele.

No fundo, o movimento transumanista é uma variante moderna do sonho de transcendência da contingência que possuía os místicos em tempos antigos. Os gnósticos e os discípulos de Platão ansiavam pela absorção em um Absoluto atemporal, refúgio dos pavorosos conflitos do mundo humano. Consideravam que só era possível entrar nesse refúgio deixando para trás a individualidade, e praticavam o ascetismo e a contemplação na tentativa de apagar suas identidades e seus desejos pessoais. Menos inteligentes que seus precursores antigos, os transumanistas contemporâneos imaginam que podem tornar-se imortais nos termos que bem escolherem. Como o personagem Kirillov, de Dostoiévski, que será discutido no capítulo 5, acreditam que, como não existe um Deus, haverão de se tornar deuses eles próprios.

O transumanismo é uma versão contemporânea de um projeto moderno de autoendeusamento humano. Um dos poucos que o reconheceram é o historiador israelense da ciência Yuval Noah Harari. Em *Sapiens: uma breve história da humanidade*, publicado originalmente em hebraico, em 2011, e *Homo Deus: uma breve história do amanhã* (2016), Harari dá a entender que a expansão dos poderes que vêm sendo adquiridos pela humanidade com o avanço da ciência poderá acarretar a extinção dos seres humanos. Valendo-se da bioengenharia e da inteligência artificial, a espécie humana vai ampliar suas capacidades físicas e mentais muito além de seus limites naturais. No fim das contas, vai se transformar em Deus. "No século XXI", escreve Harari, "o próximo grande projeto da humanidade será adquirir os poderes divinos de criação e destruição, fazendo o *Homo Sapiens* evoluir para *Homo Deus*".[18]

Ao contrário de Bernal e Kurzweil, Harari aceita que o novo Deus criado pela humanidade talvez seja indiferente aos seres humanos. Nesse ponto, "a história humana chegará ao fim, tendo início um processo completamente novo".[19] O que evoca uma questão que Bernal e Kurzweil esqueceram de levantar. Por que uma espécie pós-humana teria algum valor para os seres humanos? É possível que esses pensadores transumanistas considerem que um universo contendo uma espécie assim seria um lugar melhor. Henry Sidgwick, cuja obra examinamos no capítulo anterior, escreveu que ética significava encarar o mundo "do ponto de vista do universo".[20] Entretanto, a menos que imaginemos alguma deidade dominante, o universo não tem um ponto de vista. Nesse caso, por que haveriam os seres humanos de querer abrir caminho para uma espécie sucessora, por mais superiormente inteligente que pudesse ser? Da mesma forma, por que uma espécie super-humana moldada pelos seres humanos haveria de se preocupar com seus criadores?

Harari tem consciência dessas questões, mas sua história do futuro repousa em uma confusão. A "humanidade" não vai se transformar em Deus, pois a "humanidade" não existe. A única coisa que se pode observar é o multiforme animal humano, com suas insolúveis inimizades e divisões. A ideia de que a espécie humana é um agente coletivo, estabelecendo "grandes projetos" para si mesmo e correndo atrás deles pela história, é um mito humanista herdado do monoteísmo. Harari oscila entre falar da humanidade bancando Deus e os seres humanos se tornando como deuses. Mas são futuros muito diferentes, e só este último tem alguma credibilidade. Se algum dia ele se manifestar, um possível mundo pós-humano não será um mundo em que a espécie humana tenha se endeusado. Mais semelhante ao cosmo cosmopolita imaginado pelos gregos antigos, ele será governado por

UMA ESTRANHA FÉ NA CIÊNCIA

um panteão de deuses beligerantes. Quem quiser um vislumbre de como pode ser um futuro pós-humano devia ler Homero.

Como o processo evolutivo que gerou a espécie humana, a evolução pós--humana será um processo de deriva. Se surgirem espécies sobre-humanas ou pós-humanas, serão criadas por governos e poderosas corporações, e em seguida usadas por qualquer grupo capaz de se apropriar delas: cartéis criminosos, redes terroristas, cultos religiosos e quejandos. Com o tempo, essas novas espécies serão modificadas e reformuladas — a princípio por seus controladores humanos, e depois por si mesmas. Não demorará muito para que algumas delas se libertem de seus criadores humanos. Determinado tipo pode dominar os demais, pelo menos por algum tempo, mas nada parece indicar o surgimento de um ser divino em posição suprema sobre tudo mais. Haverá tantos tipos de seres pós-humanos quantos são os grupos humanos interessados em criá-los.

À medida que a espécie pós-humana criada pelos seres humanos sofre mutações e evolui, a história humana de fato pode chegar ao fim. Resta saber por que os transumanistas acham essa perspectiva tão atraente. Será por acharem que a humanidade não passa de um canal de valores que transcendem o animal humano, como conhecimento ou informação? Porém, a menos que postulemos um céu platônico além do universo material, é difícil saber onde podem ser encontrados esses valores. Não são características do mundo natural. Para terem alguma ascendência sobre os seres humanos, esses valores precisam ter valor para eles.

As filosofias transumanistas só fazem sentido enquanto versões da teologia evolucionista. Como o universo não contém um Deus de cujo ponto de vista uma espécie pós-humana fosse importante, uma tal deidade deve ser inerente — segundo acreditam esses teólogos involuntários — ao próprio processo evolutivo. Escreve Kurzweil:

A evolução caminha em direção a maior complexidade, maior elegância, maior conhecimento, maior inteligência, maior beleza, maior criatividade e níveis mais altos de atributos sutis como o amor. Em toda tradição monoteísta, da mesma forma, Deus é descrito como todas essas qualidades, mas sem qualquer limitação: conhecimento infinito, inteligência infinita, beleza infinita, criatividade infinita, amor infinito e assim por diante. Naturalmente, nem mesmo o acelerado crescimento da evolução alcança esse nível infinito, mas em sua exponencial explosão com certeza se move com rapidez nessa direção. Desse modo, a evolução caminha inexoravelmente na direção dessa concepção de Deus, mas sem nunca atingir completamente esse ideal.[21]

Uma visão que vai de encontro à teoria darwiniana da seleção natural. Se algum deus surge da evolução, só pode ser por um processo de seleção artificial — em outras palavras, pelo fato de seres humanos decidirem criá--lo. Mas um Deus criado pelo homem poderia evoluir para algo semelhante ao Demiurgo dos gnósticos, maligno ou indiferente em seu tratamento à humanidade.[22]

Felizmente nada disso jamais ocorrerá. Não por falha funcional das tecnologias. Os seres humanos de fato podem usar a ciência para se transformar em algo semelhante a deuses, tal como os imaginam, mas nenhum Ser Supremo vai aparecer no cenário. Haverá, isto sim, muitos deuses diferentes, cada um deles uma paródia de seres humanos que outrora existiram.

4. Ateísmo, gnosticismo e a moderna religião política

Aparentemente opostos, os sonhos utópicos de um mundo perfeito e a crença no gradual aprimoramento têm a mesma origem no monoteísmo cristão. A ideia de progresso é uma versão mutante da crença cristã de que a salvação humana se encontra na história, ao passo que os modernos movimentos revolucionários e liberais são um desdobramento da crença em uma finalidade da história que inspirou o ensinamento de Jesus. Os partidários da revolução, da reforma e da contrarrevolução julgam ter deixado a religião para trás, quando na verdade se limitaram a renová-la, sob formas que não reconhecem.

Embora a principal influência formadora tenha sido o cristianismo, a política moderna também foi determinada por um tipo de pensamento mais antigo. Corrente de grande força em muitas religiões, filosofias e movimentos políticos, o gnosticismo — mencionado em capítulos nos quais tratamos anteriormente das origens do cristianismo e do humanismo moderno — é a crença de que os seres humanos podem ser libertados de um mundo de sombras pela luz salvadora do conhecimento. Foram muitas as visões antigas e modernas da natureza dessa libertação. (Numa dessas interpretações, o mito bíblico do Gênesis pode ser interpretado como uma crítica da antiga crença gnóstica na salvação pelo conhecimento.) Mas o impulso gnóstico continua o mesmo. No século XX, quando o cientista J. D. Bernal esperava o advento de um animal humano que se tornasse "etéreo" até se transformar em "um raio de luz", estava renovando uma visão gnóstica. Em Ray Kurzweil, o sonho de fazer um upload da mente humana para o ciberespaço expressa a mesma fé gnóstica.

Modos gnósticos de pensar são encontrados em muitas culturas, mas o gnosticismo moderno é um fenômeno tipicamente ocidental. A crença na salvação pelo conhecimento faz parte da tradição ocidental. Platão acreditava que a liberdade decorria da entrada em um reino místico além da caverna. Tal como representado por Platão, Sócrates considerava que a bondade e a verdade eram uma só e mesma coisa. Mas jamais lhes teria ocorrido imaginar que essa harmonia pudesse se realizar no curso da história. Era necessário o cristianismo para transformar o gnosticismo na explosiva força política em que se transformou no Ocidente moderno.

Para entender a política moderna, devemos deixar de lado a ideia de que os movimentos seculares e religiosos se opõem. Como pretendiam acabar com a influência da religião na sociedade, o jacobinismo e o bolchevismo eram forças secularizantes; mas ambos canalizavam os mitos milenaristas do cristianismo apocalíptico. Na medida em que rejeitava com desprezo a moral igualitária professada (ainda que raramente aplicada de maneira coerente) pelos pensadores iluministas, o nazismo foi um movimento contrailuminista. Ao tentarem criar uma "ciência do homem" baseada na fisiologia, porém, os nazistas deram continuidade ao projeto iluminista. O liberalismo surgiu no século XVII como aplicação de uma moral universal herdada do monoteísmo; mas a partir de John Stuart Mill tornou-se um veículo para a religião da humanidade, que pretendia substituir o monoteísmo, embora desse prosseguimento ao pensamento monoteísta sob outras formas. Os movimentos islamistas são expressões de fundamentalismo religioso; embora também sejam moldados por ideologias ocidentais como o leninismo e o fascismo, que por sua vez também eram em parte moldadas pela religião.

A crença de que vivemos em uma época secular é uma ilusão. Se significa apenas que o poder das igrejas cristãs declinou em muitos países ocidentais,

ATEÍSMO, GNOSTICISMO E A MODERNA RELIGIÃO POLÍTICA   87

trata-se efetivamente da descrição de um fato. O pensamento secular, no entanto, é formado basicamente por religião reprimida. A ideia de um reino secular teve origem no ensinamento de Jesus de que os discípulos dessem a César o que era de César. O monoteísmo judaico e cristão — e não o Iluminismo europeu — é que está na origem da prática da tolerância, mas o monoteísmo também inspirou muitos dos movimentos antiliberais da época moderna. Uma mistura de conceitos cristãos de redenção com a crença gnóstica no poder salvador do conhecimento é que estimulou o projeto de salvação por meio da política. Com a revivescência da religião em épocas recentes, pode parecer que vivemos em uma época pós-secular, mas, como o pensamento secular não era muito mais que religião reprimida, nunca houve de fato uma era secular.

MILENARISMO E GNOSTICISMO NA TRADIÇÃO OCIDENTAL

Os movimentos revolucionários modernos são continuações do milenarismo medieval. O mito de que o mundo humano pode ser refeito em uma reviravolta cataclísmica não morreu. Mudou apenas o autor desse fim dos tempos transformador do mundo. Nos velhos tempos, era Deus. Hoje, é a "humanidade".

Em sua seminal obra *Na senda do milênio*, publicada em 1957, Norman Cohn resumiu as características definidoras dos movimentos milenaristas:

Os movimentos ou seitas milenaristas sempre apresentam a salvação como:

(a) coletiva, no sentido de que deve ser desfrutada pelos fiéis como uma coletividade;

(b) terrestre, no sentido de que se realizará neste planeta, e não em um paraíso do outro mundo;

(c) iminente, no sentido de que sobrevirá subitamente em breve;

88   SETE TIPOS DE ATEÍSMO

(d) total, no sentido de que transformará radicalmente a vida no planeta, de tal maneira que a nova revelação não será apenas um aprimoramento do presente, mas a própria perfeição;

(e) milagrosa, no sentido de que se realizará por meio ou com a ajuda de agentes sobrenaturais.[1]

Com exceção da última, todas essas características se reproduzem nos movimentos revolucionários modernos. Dos jacobinos franceses no fim do século XVIII aos bolchevistas e seguidores de Mao e Pol Pot no século XX, esses revolucionários acreditavam que a humanidade estava criando um novo mundo. Em tempos antigos, os gnósticos supunham que os adeptos individuais podiam se libertar da prisão da matéria ascendendo a outro reino do ser. Possuídos por uma visão ainda mais fantástica, os gnósticos modernos imaginam que um outro reino pode ser construído na Terra.

Eric Voegelin, eminente estudioso do gnosticismo no século XX, resumiu o modo gnóstico de pensar em seis ideias. Em primeiro lugar, os gnósticos estão insatisfeitos com sua situação no mundo; em segundo, explicam sua insatisfação afirmando que o mundo é intrinsecamente defeituoso; em terceiro, acreditam que é possível a salvação da atual ordem de coisas; em quarto, afirmam que essa ordem terá de ser transformada em um processo histórico; em quinto, consideram que tal transformação pode ser alcançada pelo esforço humano; e, por fim, essa mudança exige a aplicação de um tipo especial de conhecimento, que está na posse dos adeptos do gnosticismo.[2]

As seis características identificadas por Voegelin são encontradas nas formas modernas de gnosticismo. Mas ele se equivocava ao afirmar que o gnosticismo sempre sustentou a crença de que a ordem do ser pode ser alterada em um processo histórico. Ao longo da maior parte da história, os gnósticos consideravam a salvação uma fuga da história. Mesmo quando o gnosticismo se misturou ao mito apocalíptico (como em certas seitas mais ou menos da época de Jesus), os gnósticos não acreditavam que o mundo pudesse ser aprimorado, mas apenas destruído em um conflito cataclísmico

ATEÍSMO, GNOSTICISMO E A MODERNA RELIGIÃO POLÍTICA   89

de fim dos tempos. A crença de que o mundo pode ser transformado em um processo histórico só é encontrada no gnosticismo moderno, tendo sido herdada do cristianismo.

Um resumo mais preciso do pensamento gnóstico pode ser encontrado nas obras do estudioso alemão Hans Jonas. O gnosticismo, segundo relata, postula uma radical descontinuidade entre a humanidade e Deus:

> A deidade é absolutamente transmundana, e sua natureza, estranha à do universo, que ela não criou nem governa, e da qual representa a total antítese: ao reino divino da luz, autossuficiente e distante, o cosmos se opõe como o reino da sombra [...] o próprio Deus transcendente está oculto a todas as criaturas e não é suscetível de ser conhecido por meio de conceitos naturais. O conhecimento dele requer uma revelação e uma iluminação sobrenaturais, e mesmo assim dificilmente pode ser expresso senão em termos negativos.

A cosmologia gnóstica é sombria e paranoica: "O universo [...] é como uma enorme prisão que tem como calabouço mais profundo a Terra, cenário da vida do homem. Ao seu redor e acima dela, as feras cósmicas se sobrepõem como conchas circundantes concêntricas." A alma humana é "embotada, adormecida ou intoxicada pelo veneno do mundo: em suma, 'ignorante'". A salvação significa deixar o mundo: "O objetivo da busca gnóstica é libertar o 'homem interior' das amarras do mundo para fazê-lo retornar ao seu reino nativo de luz [...]. Munida da gnose, a alma ruma para cima depois da morte [...] alcança o Deus que está além do mundo e se reintegra à substância divina." A libertação total só advém depois da morte.[3]

A crença de que o mundo humano poderia ser refeito em um plano melhor não é encontrada em momento algum entre os gnósticos antigos. Não fica claro por que Voegelin insistia em identificar o gnosticismo com essa ideia. Talvez quisesse acreditar que o Ocidente é inocente das monstruosas religiões políticas dos tempos modernos. Mas o gnosticismo não é propriamente alheio às tradições ocidentais. Interagindo com os mitos milenaristas cristãos, o gnosticismo criou as religiões seculares que moldaram o mundo moderno.

A MÜNSTER DE JAN BOCKELSON: UMA PRIMITIVA TEOCRACIA COMUNISTA MODERNA

Ao se referir ao bolchevismo como uma religião, e não "um movimento político comum", Bertrand Russell tocava em uma verdade mais ampla. Por compartilharem alguns dos mitos do monoteísmo, as grandes experiências políticas modernas tiveram natureza religiosa. O que pode ser constatado pelo exame dos movimentos milenaristas do início da época moderna.

No fim de seu estudo, Cohn escreve:

> É característico desse tipo de movimento o fato de seus objetivos e premissas serem ilimitados. A luta social não é vista como uma luta por objetivos específicos e limitados, mas como um acontecimento de importância ímpar, de natureza diferente de todas as outras lutas conhecidas da história, um cataclismo do qual o mundo vai surgir totalmente transformado e redimido. É essa a essência do fenômeno recorrente — ou, se quiserem, da persistente tradição — a que chamamos "milenarismo revolucionário".[4]

Os elos entre essa tradição milenarista e os movimentos revolucionários modernos se tornam mais claros quando examinamos os escritos do profeta anabatista Jan Bockelson, do início da era moderna. No outono de 1534, Bockelson — também conhecido como João de Leiden, cidade holandesa onde havia liderado o movimento anabatista, insurgência cristã radical que rejeitava a autoridade da Igreja — declarou-se rei da cidade alemã de Münster. Ele esteve à frente de uma teocracia comunista que durou até junho de 1535, quando, depois de um longo sítio, a cidade foi tomada por forças leais à Igreja, sendo ele torturado até a morte na praça principal.

Bockelson não se valeu da religião para enganar e explorar. Como muitos profetas seculares depois dele, de fato estava convencido das visões que pregava. E tampouco era a fé de seus seguidores inspirada apenas pelo medo. Durante algum tempo, eles eram possuídos por um autêntico frenesi apocalíptico. À chegada de Bockelson na primavera de 1533, Münster já era

ATEÍSMO, GNOSTICISMO E A MODERNA RELIGIÃO POLÍTICA

uma cidade-Estado comunista-teocrática. Sob a liderança de Jan Matthys, que viria a se tornar o mentor de Bockelson, os anabatistas saquearam a catedral e queimaram os livros de sua biblioteca. Declarando que os autênticos cristãos compartilhavam o dinheiro como um bem comum, Matthys ordenou que todas as moedas de ouro e prata fossem entregues às autoridades. A partir dali, o dinheiro deveria ser usado apenas para finalidades como comprar suprimentos, distribuir propaganda e contratar mercenários. Foram criados refeitórios comunitários onde todos podiam comer juntos ouvindo leituras da Bíblia. Alimentos escondidos em residências particulares eram confiscados. Mais tarde, a própria vida privada seria condenada, sendo decretado que portas e janelas ficassem abertas dia e noite. O domínio de Matthys chegou ao fim quando, julgando agir por ordem divina, ele deixou a cidade no domingo de Páscoa de 1534 com um pequeno grupo de seguidores para enfrentar o exército que cercava a cidade, sendo capturado e morto. Seu corpo esquartejado e as partes íntimas foram pregados nos portões da cidade.

Tomando o poder após a morte de Matthys, Bockelson elevou a cidade--Estado comunista a um novo patamar. Os trabalhadores se tornaram propriedade da cidade; todo artesão que não fosse alistado no exército se tornava empregado público. Após um período de puritanismo fortemente policiado, foi imposta uma forma radical de poligamia. Todas as mulheres acima de certa idade eram obrigadas a casar. Aquelas que se recusassem a aceitar novos maridos eram ameaçadas de morte e, em certos casos, de fato executadas. Impôs-se uma forma de comunismo sexual em que todos — mas especialmente as mulheres — eram considerados propriedade sexual de todos. Negar a qualquer um seus direitos conjugais se tornou um pecado capital. Como veremos no capítulo 5, um regime semelhante de propriedade sexual comum seria preconizado mais de dois séculos depois pelo marquês de Sade.

Quando Bockelson se proclamou rei, tinha em mente um papel que ia além da monarquia habitual. Ele seria o messias dos últimos dias, governando todo o mundo. O que lhe foi apresentado como revelação divina. Em maio de 1534, saiu correndo nu pelas ruas da cidade, parecendo incapaz

92 SETE TIPOS DE ATEÍSMO

de falar. Passados três dias, revelou as ordens de Deus: os velhos hábitos da cidade seriam substituídos por uma nova revelação. Em setembro, ele se declarou o messias previsto nas profecias do Antigo Testamento — o rei da Nova Jerusalém. Mais que uma cidade governada por um profeta iluminado, Münster seria o início de um novo mundo.

Bockelson transformou radicalmente a vida na cidade. Ruas e portões foram rebatizados; domingos e dias festivos, abolidos. Luteranos e católicos foram expulsos, deixando seu dinheiro, alimentos e roupas sem uso. Os que permaneceram seriam rebatizados em longas cerimônias na praça do mercado. Quem não comparecesse à cerimônia podia ser condenado à morte. Além de impor um novo calendário, Bockelson criou um sistema pelo qual decidia os nomes dos recém-nascidos. Em lugar dos dias festivos do passado, foram instituídos banquetes públicos. Um trono foi erguido na praça do mercado, onde o rei distribuía pãezinhos para o povo.

Apesar dos banquetes, Bockelson governava a cidade pelo terror. Reuniões não autorizadas eram punidas com pena de morte. Quem tentasse deixar a cidade ou ajudasse alguém a fazê-lo corria o risco de ser decapitado. Um dos objetivos do terror era proteger o Estado de subversão por parte de agentes da Igreja, mas logo as execuções se transformariam em uma espécie de teatro popular. O rei presidia a performance e muitas vezes executava as decapitações, após as quais os cadáveres eram esquartejados, sendo as partes exibidas em diferentes pontos da cidade. Em junho de 1535, quando Bockelson foi morto, esses espetáculos públicos haviam se tornado diários.

Após a morte de Bockelson, o anabatismo radical entrou em declínio. Um novo líder messiânico fundaria uma outra Nova Jerusalém na Vestfália. Como a de Bockelson, ela praticava o comunismo nos bens e nas mulheres (o líder tinha 21 esposas). Tendo durado mais de uma década, a comuna degenerou em um bando de assaltantes, subsistindo graças ao fruto do roubo até o novo messias ser capturado e executado, juntamente com muitos de seus discípulos. Comunidades descendentes dos anabatistas continuaram a ser fundadas, algumas — como os menonitas — sobre-

ATEÍSMO, GNOSTICISMO E A MODERNA RELIGIÃO POLÍTICA   93

vivendo até hoje. Mas o desejo de tomar de assalto o céu teria fim entre os crentes cristãos até o final do século XVI. A partir de então, os mitos apocalípticos se renovariam em formas explicitamente políticas, em sua maioria militantemente seculares.

O JACOBINISMO, PRIMEIRA RELIGIÃO POLÍTICA MODERNA

Os jacobinos constituem o elo mais evidente entre os milenaristas medievais e os movimentos revolucionários do século XX. O reinado do terror na França foi mais que um "aristocídio" das classes privilegiadas. Como aconteceria mais tarde na Rússia bolchevista, o maior número de vítimas se verificou de longe entre pessoas comuns. Entre elas estavam os mortos na repressão de uma sublevação contrarrevolucionária popular na Vendeia, que irrompeu depois da execução do rei Luís XVI em janeiro de 1793 e só seria desbaratada em 1796. Cerca de um terço da população morreu na região, onde as forças revolucionárias tinham entre seus métodos repressivos a queima de colheitas, a destruição de aldeias e os afogamentos em massa. O custo humano da Revolução Francesa chega às centenas de milhares de vidas. Produzindo líderes como Maximilien Robespierre, que como membro do Comitê de Salvação Pública organizou a execução em Paris de cerca de 20 mil inimigos da revolução, tendo sido ele mesmo guilhotinado em 1794, os jacobinos tinham como máxima — formulada pelo próprio Robespierre em um discurso na Assembleia Nacional — "Piedade é traição".

Como os anabatistas, os jacobinos se preocupavam em preservar seu novo regime das investidas das forças contrarrevolucionárias. Também como no caso deles, sua tentativa de apagar os vestígios humanos da velha ordem obedecia a uma paixão religiosa. Um liberal francês do início do século XIX capturou essa evolução ao se referir à Revolução como "uma revolução política que funcionou à maneira de uma revolução religiosa, em certo sentido assumindo seu aspecto". A revolução, prosseguia Alexis de Tocqueville, funcionava em relação a esse mundo exatamente da mesma maneira como as revoluções religiosas funcionam em relação à ordem; considerava o cidadão de uma forma abstrata, à parte de quaisquer sociedades específicas, da mesma forma como as religiões consideram o homem em geral, independentemente de tempo e lugar. Ela não buscava apenas os direitos particulares dos cidadãos franceses, mas os direitos e deveres políticos gerais de todos os homens. Assim sendo, como parecia mais preocupada com a regeneração da espécie humana do que com a reforma da França, gerou uma paixão que nem as mais violentas revoluções políticas tinham ostentado até então. Podia, assim, assumir essa aparência de uma revolução religiosa que tanto surpreendeu os contemporâneos; ou melhor, tornou-se ela própria uma espécie de nova religião, uma religião imperfeita, é bem verdade, sem uma forma de culto, e sem uma vida futura, mas que ainda assim, como o islamismo, inundou o planeta de soldados, apóstolos e mártires.[5]

Essa é uma visão penetrante da transformação da política em religião que se acelerou nos séculos XIX e XX. Ao contrário do que afirma Tocqueville, contudo, a Revolução efetivamente adquiriu formas de culto e uma ideia de vida futura. O jacobinismo produziu a primeira religião política moderna. As formas de culto eram seculares, e a vida futura, um imaginário paraíso terrestre.

O fato de que o jacobinismo fosse uma religião era plenamente reconhecido pelos próprios jacobinos. Logo depois da tomada da Bastilha em julho de 1789, uma série de festivais anunciava a fundação de um novo culto cívico. Em novembro de 1793 — o ano 2 do novo calendário —, uma Festa da Razão foi realizada em todo o país. As igrejas foram transformadas em Templos da Razão, sendo promovida na Catedral de Notre-Dame uma cerimônia em que uma Deusa da Razão era entronizada em um novo altar (tendo sido demolido o altar original) envolto em ondulantes mantos de estilo romano ornamentados com faixas tricolores. Um programa de descristianização foi aplicado em toda a França. Igrejas foram fechadas, e estátuas, cruzes e inscrições removidas de túmulos. O objetivo não era

ATEÍSMO, GNOSTICISMO E A MODERNA RELIGIÃO POLÍTICA 95

a separação entre Igreja e Estado, mas a destruição do cristianismo e sua substituição por um novo culto oficial.

Os jacobinos não eram unânimes quanto à natureza do culto que haviam estabelecido. Alguns tendiam para o ateísmo: a própria ideia de Deus é que precisava ser descartada. Outros tendiam para o credo deísta, no qual Deus criou o mundo, mas não interfere nele. Entre esses estava Robespierre, que no auge do poder, em 1794, anunciou a fundação do Culto do Ser Supremo.

Uma declaração oficial de maio daquele ano estabelecia os princípios da nova religião:

> O povo francês reconhece a existência do Ser Supremo e a imortalidade da alma. Reconhece que o culto digno do Ser Supremo é a prática dos deveres do homem. Situa na linha de frente desses deveres detestar a má-fé e a tirania, respeitar os fracos, defender os oprimidos, fazer aos outros todo o bem possível e não ser injusto com ninguém. Serão instituídas comemorações para lembrar ao homem a Divindade e a dignidade do seu ser. Tais festas serão batizadas com os nomes dos gloriosos eventos da nossa Revolução, as virtudes mais apreciadas e mais úteis ao homem e os grandes dons da natureza.[6]

Essa religião cívica era uma protoversão da religião da humanidade, mais tarde formulada por Saint-Simon e Comte. Hoje, a religião da humanidade de Comte enquadra as ortodoxias do humanismo secular. Todos esses credos modernos combinam formas monoteístas de pensar com elementos derivados do gnosticismo. Um dos exemplos mais instrutivos dessa fusão é o bolchevismo.

O BOLCHEVISMO: ESPERANÇAS MILENARISTAS, VISÕES GNÓSTICAS

Pode parecer que há uma longa distância entre uma cidade-Estado teocrática do século XVI e a experiência soviética de comunismo que teve início em 1917, mas encontramos algumas afinidades interessantes entre as duas. Lenin considerava que a derrubada do czarismo não era apenas uma reviravolta específica; a Revolução Russa inauguraria um novo mundo. Como a teocracia anabatista de Münster, o regime bolchevista assinalou o nascimento da nova ordem mudando os nomes de cidades, ruas e lugares públicos e instituindo um novo calendário. Igrejas e sinagogas, mesquitas e templos foram saqueados, sendo os prédios demolidos ou destinados a outros usos. Foi imposto um novo sistema econômico — o Comunismo de Guerra —, com base na organização do trabalho e no racionamento, visando a abolir o dinheiro e as trocas no mercado. Quando estivesse estabelecida na Rússia, Lenin esperava que a nova ordem se disseminasse pelo mundo todo.

O bolchevismo se compunha de certo número de tradições, algumas nitidamente russas. Segundo o teólogo ortodoxo Nikolai Berdyaev, "em virtude de seu espírito dogmático-religioso, os russos sempre são apocalípticos ou niilistas".[7] Berdyaev fazia o bolchevismo remontar à revolução de cima para baixo imposta por Pedro, o Grande, e ao mito de que a Rússia seria uma Terceira Roma destinada a redimir o mundo. Como veremos adiante, o bolchevismo também continha uma corrente de gnosticismo influenciada pela ortodoxia russa. Mas, além disso, os bolchevistas deram continuidade a uma tradição europeia que vinha da religião cívica jacobina, valendo-se do terror metódico para purificar a sociedade do passado. O bolchevismo se inscrevia em uma linhagem que remontava ao milenarismo medieval.

Não obstante os muitos protestos em contrário, o uso metódico do terror teve início com Lenin e não Stalin, que empregou os métodos do antecessor em mais ampla escala. Em sua "Ordem de Enforcamento", de agosto de 1918, Lenin instruía os bolchevistas a executar por enforcamento os camponeses que resistissem ao confisco de grãos, "para que a população possa ver e tremer".[8] Entre as ordens enviadas aos sovietes provinciais estavam diretivas de "abater a tiros e deportar" prostitutas que distraíssem soldados do Exército Vermelho de seus deveres. Em 1919, todos os escoteiros de Moscou foram abatidos a tiros, e em 1920 foram executados todos os membros do clube de tênis. Figuras de destaque cuja hostilidade ao novo regime fosse esperada

ATEÍSMO, GNOSTICISMO E A MODERNA RELIGIÃO POLÍTICA   97

eram expulsas do país. Em 1922, Lenin alugou dois navios alemães para transportar ao exterior do país centenas de filósofos, linguistas, teólogos, escritores e bailarinas, sendo outros despejados em trens.[9] A segurança dos que se recusavam a partir não era garantida.

Lenin praticou o terror em vasta escala. Da repressão que se seguiu a uma revolta dos trabalhadores em Kronstadt e uma rebelião camponesa em Tambov, em 1920-1921, fizeram parte milhares de execuções.[10] Nikolai Gumilev, cofundador do movimento poético acmeísta e marido da poetisa Anna Akhmátova, foi detido pela Tcheka — a polícia secreta soviética — por cumplicidade em uma suposta conspiração monarquista e abatido a tiros em uma floresta em agosto de 1921, juntamente com sessenta outros supostos conspiradores. A rebelião de Tambov foi esmagada com métodos que incluíam a destruição de aldeias inteiras, a deportação dos habitantes e a utilização de gás venenoso para expulsar das florestas os que nelas haviam se refugiado. Os camponeses capturados eram sumariamente executados por métodos que contemplavam mutilação sexual, empalação, congelamento, escalda e — como no terror francês — afogamento em massa.

O alcance e a crueldade da repressão bolchevista muitas vezes são atribuídos à Guerra Civil que ocorria à época. Os brancos cometiam assassinatos em massa, inclusive o massacre de forças do Exército Vermelho e a eliminação de cerca de 300 mil judeus ucranianos e bielorrussos. Mas o terror de Lenin servia a um objetivo que ia muito além da Guerra Civil. Não só assegurava a sobrevivência do novo regime, como também visava a expurgar a Rússia dos remanescentes humanos do passado — meta declarada em um texto fundador do Estado soviético.

Na Declaração dos Direitos do Povo Trabalhador e Explorado, promulgada na União Soviética em janeiro de 1918, as partes da população identificadas como "antigo povo" perdiam seus direitos. Desses grupos faziam parte funcionários da polícia e das forças armadas czaristas, grupos sem classe definida que viviam de renda, o clero de todas as religiões e quem quer que dependesse economicamente de qualquer desses. Excluídos do sistema de racionamento (para muitos a principal fonte de sustento), sujeitos a ter suas propriedades confiscadas e impedidos de ocupar cargos

98 SETE TIPOS DE ATEÍSMO

públicos, os integrantes desses grupos eram alijados da sociedade. O que não se aplicava apenas a eles, mas também a suas famílias. Muitos desses "elementos sedentários" morreram de fome. Muitos outros foram mandados para os campos de concentração do gulag. Em 1920, a Tcheka mantinha em funcionamento mais de vinte campos, onde muitas "antigas pessoas" morreram em decorrência do excesso de trabalho, do espancamento ou do frio. Como no terror francês, a maior parte das vítimas da revolução era de pessoas comuns. A maioria dos internos dos campos não era de membros das antigas classes médias ou da classe dominante. Segundo estatísticas oficiais da época, cerca de 80% eram analfabetos ou tinham pouca escolaridade. De longe, a maior parte das vítimas do terror bolchevista era camponeses ou operários da indústria.[11]

Para Lenin, o custo humano da Revolução era um incidente passageiro no caminho para um novo mundo. Baseava essa convicção, que parece ter sustentado até a morte, em sua versão da interpretação da história em Marx, que ele expunha em panfletos escritos apressadamente nos intervalos da luta pelo poder. Mas outras correntes de pensamento participaram do bolchevismo, entre elas algumas inconfundivelmente gnósticas.

Sabe-se que o corpo de Lenin foi embalsamado para ser exibido em um mausoléu público. Menos conhecido é o fato de o túmulo de Lenin ter sido obra de um grupo bolchevique que se denominava "Construtores de Deus", e do qual faziam parte o escritor Máximo Gorki, o comissário do esclarecimento Anatoly Lunacharsky (discípulo não só de Marx como de Nietzsche), que controlava a educação e censurava as artes nos primeiros anos do regime soviético, e o primeiro-ministro do Comércio soviético, Leonid Krasin.

Esses construtores de Deus acreditavam que, com o constante avanço da ciência, Lenin talvez pudesse de fato ser revivido em algum momento no futuro. Eles eram influenciados pelo pensador religioso Nikolai Fedorov (1829-1903), segundo quem a ciência seria capaz de proporcionar a liberdade em relação à morte prometida pelo cristianismo ortodoxo, que encarava a imortalidade como ressurreição física em um corpo humano

ATEÍSMO, GNOSTICISMO E A MODERNA RELIGIÃO POLÍTICA 99

aperfeiçoado. A superação da mortalidade requeria que a humanidade assumisse o controle do mundo natural, em última análise abandonando o planeta rumo a outros mundos (ideia de Fedorov que tem influenciado a pesquisa espacial russa até hoje). Muito antes dos visionários do Vale do Silício, os construtores de Deus russos promoviam um projeto tecnológico de libertação da morte.

Falando sobre o funeral de um companheiro revolucionário três anos antes da morte de Lenin, a 21 de janeiro de 1924, Krasin expôs uma versão bolchevista da filosofia de Fedorov. Os futuros líderes revolucionários não haveriam de morrer para sempre:

> Estou convencido de que virá um tempo em que a ciência vai se tornar todo-poderosa, capaz de recriar um organismo morto. Estou convencido de que chegará o tempo em que será possível usar os elementos da vida de uma pessoa para recriar a pessoa física. E estou convencido de que, quando chegar esse momento, quando a libertação da humanidade, utilizando todo o poder da ciência e da tecnologia, cuja força não podemos hoje imaginar, for capaz de promover a ressurreição de grandes figuras históricas — estou convencido de que, quando vier esse momento, entre as grandes figuras históricas estará o nosso companheiro.[12]

Foi Krasin quem propôs que o líder soviético fosse imortalizado em um mausoléu público. Para isso, tentou congelar o cadáver de Lenin usando um sistema de refrigeração. O sistema não funcionou, e o corpo de Lenin começou a dar sinais de decomposição. Outro refrigerador foi então encomendado na Alemanha — para os bolcheviques, a pátria da tecnologia mais avançada —, mas tampouco foi capaz de deter o processo de putrefação. Só depois de se revelarem infrutíferas essas primeiras tentativas de suspensão criônica é que o cadáver de Lenin finalmente foi embalsamado.

A princípio feita de madeira, a tumba de Lenin foi aberta ao público em agosto de 1924. Sua estrutura cúbica foi concebida pelo arquiteto A. V. Shchusev, membro do movimento construtivista que também reformou a prisão de

Lubyanka. Em uma reunião da comissão criada para organizar o funeral de Lenin, Shchusev explicou de que maneira a tumba cúbica imortalizaria o líder morto: "Vladimir Illich é eterno [...]. Como poderemos honrar sua memória? Na arquitetura, o cubo é eterno [...]. Que o mausoléu que vamos erguer como um monumento a Vladimir Lenin derive de um cubo."

A concepção cubista de Shchusev se inspirava em Kazimir Malevich, fundador do movimento artístico supremacista. Considerando as formas geométricas abstratas como sinais de uma realidade superior, Malevich via na estrutura cúbica do mausoléu de Lenin a representação de um reino além da morte. "O ponto de vista de que a morte de Lenin não é morte, de que ele está vivo e é eterno", escreveu Malevich, "é simbolizado em um novo objeto que assume a forma do cubo". O artista propunha então que os seguidores de Lenin instalassem um cubo em algum recanto de suas casas, escritórios, fábricas e fazendas. O partido aceitou a proposta, ordenando a fabricação e distribuição de cubos. Durante algum tempo, "recantos de Lenin" adornados com cubos podiam ser encontrados em todo o país.

A morada final do político seria um estojo de vidro sobre um mausoléu de granito vermelho concluído no outono de 1930. Quando as tropas nazistas avançavam em direção a Moscou em julho de 1941, o corpo foi retirado antes de qualquer dos habitantes da cidade. Depois da guerra, retornou ao mausoléu. Em 1973, quando o partido decidiu tornar públicos certos documentos oficiais, a carteira do partido de Lenin foi a primeira a ser divulgada. Até o colapso do Estado soviético, suas roupas eram periodicamente mudadas, vestindo-se o cadáver com novos ternos feitos por uma equipe de costureiras da KGB.[13]

O zelo em relação ao cadáver de Lenin contrastava com a indiferença pela vida humana evidenciada por ele. Sob sua liderança, os bolcheviques praticaram um tipo de assassinato em massa nunca visto até então na Rússia. Matavam não só para derrotar seus muitos inimigos, mas para moldar uma nova humanidade. Nisso, seguiam um caminho já percorrido não só pelos jacobinos como também, antes deles, por milenaristas como Bockelson. O messias de Leiden não se importava com o número de mortos na construção da Nova Jerusalém. Além da redenção, eles

ATEÍSMO, GNOSTICISMO E A MODERNA RELIGIÃO POLÍTICA 101

estavam destinados à danação. Lenin não tinha crenças dessa natureza, mas se mostrava mais que disposto a matar sistematicamente, e em enorme escala, para criar o novo mundo descortinado no sucedâneo de religião do bolchevismo.

BOCKELSON, HITLER E OS NAZISTAS

Friedrich Reck-Malleczewen não é um nome imediatamente reconhecível. Para os poucos que o conhecem hoje, foi um oficial prussiano aristocrático, autor do *Diário de um desesperado*, feroz denúncia de Hitler e do nazismo, que foi detido em sua propriedade em outubro de 1944 e viria a morrer meses depois no campo de concentração de Dachau. Mas Reck-Malleczewen também escreveu uma obra menos conhecida, um estudo da Münster anabatista a que deu o título de *Bockelson: uma história de insanidade em massa*. Em 11 de agosto de 1936, ele escreveu no *Diário*:

Tenho trabalhado em meu livro sobre a cidade-Estado de Münster, fundada pelos heréticos anabatistas no século XVI. Li relatos de contemporâneos sobre esse "Reino de Sião" e fiquei chocado. Sob todos os aspectos, até os detalhes mais ridículos, foi um precursor do que enfrentamos agora [...]. Como no nosso caso, um acidente bastardo, concebido por assim dizer na sarjeta, transformou-se no grande profeta, e a oposição simplesmente se desintegrou, enquanto o resto do mundo contemplava perplexo sem nada entender [...]. Como no nosso caso, as massas foram narcotizadas; festivais folclóricos, construção inútil, tudo e qualquer coisa para impedir que o homem da rua tivesse um momento de pausa para refletir [...].

O fato de o chefe de propaganda de Münster, Dusentschnur (*sic*), mancar como Goebbels é uma piada que a história passou quatrocentos anos preparando [...]. Algumas coisas ainda precisam acontecer para completar o paralelo. Na Münster sitiada de 1534, o povo foi levado a engolir os próprios excrementos, a comer os próprios filhos. Isso também pode acontecer conosco, quando Hitler e seus bajuladores enfrentarem o mesmo fim inevitável que Bockelson...[14]

O *Diário* dá testemunho do ódio e desprezo do autor por Hitler e o regime nazista. Para Reck-Malleczewen, nobre autoproclamado que se converteu ao catolicismo em 1933 por considerar a Igreja o mais forte anteparo ao mundo moderno, o nazismo corporificava uma revolta do "homem da massa" que teve início na Revolução Francesa. Em outubro de 1944, ele escreveu sobre "a insanidade que se disseminou a partir de 1789, em cujas chamas a Europa será consumida — e que só pôde arder de maneira tão destrutiva porque a chama mais branda de uma intelectualidade europeia generalizada, a chama daqueles que buscam Deus na Terra, foi extinta [...]. Eu nasci cedo demais neste planeta. Não sobreviverei a esta insanidade".[15]

Seus maus presságios tinham fundamento. Embora tomasse precauções, como o enterro de páginas do *Diário* em esconderijos sempre novos nas florestas de sua propriedade, Reck-Malleczewen foi detido duas vezes pelas SS. O papel de inimigo do mundo moderno que escolhera para si mesmo não o fazia muito apreciado pelos nazistas, que em geral se consideravam decididamente modernos. Após a primeira detenção, ele foi libertado, mas depois da segunda, foi mandado para Dachau. Não se sabe quando nem como morreu. Pode ter morrido de alguma doença ou levado um tiro na nuca. Seja como for, a premonição do próprio fim foi cumprida em algum momento dos primeiros meses de 1945.

Reck-Malleczewen enxergava muitas características comuns entre o ditador teocrático do século XVI e o líder nazista — até os respectivos rostos, escreveu mais de uma vez, eram parecidos. A afinidade mais profunda estava nas expectativas apocalípticas encarnadas pelos dois. A atração exercida por ambos não se devia a promessas de reformas específicas, nem a um novo tipo de ordem social, mas a uma visão do fim do mundo. Como um novo mundo só poderia advir de uma catástrofe, a destruição em vasta escala era parte integrante da sua missão. Reck-Malleczewen não foi o único a notar a afinidade entre Bockelson e Hitler. Eva Klemperer, mulher de Victor Klemperer, que redigiu um diário dos anos nazistas, fez a mesma comparação.[16]

Os nazistas não teriam alcançado todo o apoio popular de que desfrutaram sem a devastação de 1914-1918, o desemprego em massa,

ATEÍSMO, GNOSTICISMO E A MODERNA RELIGIÃO POLÍTICA 103

a hiperinflação, a humilhação nacional infligida no acordo de paz de Versalhes e a conivência de elementos das elites políticas alemãs da época. Mas o nazismo não foi um "movimento político comum", ainda que radical. Como o bolchevismo, embora de maneiras diferentes, o nazismo canalizou uma religião apocalíptica de velho estilo para um novo tipo de política.

O nome do regime nazista, "Terceiro Reich", vem de um mito apocalíptico medieval. No século XII, o teólogo cristão Joaquim de Fiore dividiu a história em três épocas, terminando em uma sociedade perfeita. Adotada pelos anabatistas durante a Reforma, a ideia de um Terceiro Reich ressurgiria no entreguerras na obra do "conservador revolucionário" Moeller van den Bruck, que contemplava o estabelecimento de uma nova ordem alemã para durar um milênio em seu livro *O terceiro império* (1932), que vendeu milhões de exemplares.

Paralelamente a essas correntes milenaristas, o nazismo foi um veículo do "racismo científico". O surgimento dessa ideologia no Iluminismo francês foi comentado no capítulo anterior, e seu desenvolvimento na obra de Ernest Haeckel, no capítulo 2. As políticas genocidas que culminaram no Holocausto têm um longo pedigree no pensamento alemão. A crença de que a Alemanha precisava de "espaço vital", invocada para legitimar as políticas de expansão para leste impostas por Hitler, foi popularizada pelo etnógrafo Friedrich Ratzel (1844-1904), que a promovia valendo-se de arremedos das ideias darwinianas. Quando a Alemanha empreendeu sua expansão para a África, a "ciência racial" foi novamente invocada, dessa vez para legitimar políticas de extermínio.

O quase extermínio dos povos indígenas herero e nama no sudoeste da África (atualmente Namíbia) entre 1904 e 1907 foi debatido publicamente no Reichstag e justificado em termos de teorias científicas de hierarquia racial. Quando esses povos se revoltaram, foram massacrados. Os que tentavam fugir — e foi o que fizeram alguns em direção ao território britânico de Bechuanalândia, onde os sobreviventes da jornada eram acolhidos — também eram mortos sempre que possível. Foram montados campos de concentração nos quais a maioria dos internos morreu de doenças e excesso de trabalho. Os campos também serviam para experiências médicas, entre elas algumas em que os internos recebiam injeções de arsênico para estudo de suas reações. Mulheres herero eram obrigadas a ferver as cabeças e limpar os crânios dos internos mortos ou executados, para que os restos fossem enviados para estudos nas universidades alemãs.

Essas remessas não eram mantidas em segredo: muito pelo contrário, eram celebradas. Durante alguns anos, circulou na Alemanha um cartão-postal colorido mostrando como os crânios eram embalados. Alguns dos principais médicos envolvidos nessas experiências voltaram da África para ensinar na Alemanha, onde transmitiram teorias e métodos que seriam empregados no período nazista. O Dr. Eugen Fischer, que supervisionava o trabalho com os crânios, foi um dos mentores de um médico antissemita pioneiro da pesquisa sobre gêmeos, que tinha entre seus alunos Josef Mengele.[17]

Na combinação do mito apocalíptico com a pseudociência racista, os nazistas reuniram alguns dos piores elementos do pensamento e da cultura alemães. O fato de o nazismo ter sido um fenômeno autenticamente alemão é importante. Historiadores "revisionistas" chegaram a afirmar que o genocídio nazista dos judeus "copiava" crimes soviéticos.[18] Trata-se de um erro fundamental. Tanto a Alemanha nazista quanto a União Soviética pretendiam criar um novo mundo por métodos que contemplavam o extermínio de partes da humanidade. Mas existe uma diferença crucial entre ser morto em uma campanha de terror, como na União Soviética, e ser mandado para certo tipo de morte em uma campanha de extermínio, como acontecia com os judeus nas mãos dos nazistas e de seus colaboradores em países europeus e na Rússia soviética ocupada pelos alemães. As meras comparações numéricas ignoram essa distinção. No seu auge, os campos soviéticos podem ter encarcerado uma proporção maior da população que os campos da Alemanha nazista, e muitos internos morreram. No entanto, por mais difícil que fosse a sobrevivência neles, os campos soviéticos não se destinavam a matar os internos em questão de dias ou horas após sua chegada. O Holocausto nazista continua sendo um crime sem equivalente.

Alguns membros da elite nazista podiam se orgulhar da própria disposição de praticar o extermínio sistemático. Vangloriando-se de ter ido mais longe na rejeição dos valores judeus e cristãos, eles julgavam que isso os

ATEÍSMO, GNOSTICISMO E A MODERNA RELIGIÃO POLÍTICA   105

assinalava como revolucionários mais autênticos que os bolcheviques. Em seu romance *Chegada e partida*, de 1943, Arthur Koestler, que conversou com muitos ideólogos nazistas em suas viagens pela Europa como agente secreto da Internacional Comunista (Comintern) controlada pelos soviéticos, botou na boca de um dos personagens esta confissão de fé nazista:

> Você não percebe que o que estamos fazendo é uma verdadeira revolução, mais internacionalista em seus efeitos que a tomada da Bastilha ou do Palácio de Inverno em Petrogrado? [...]. Embarcamos em algo grandioso e gigantesco, além da imaginação. Agora não existem mais impossibilidades para o homem. Pela primeira vez, estamos atacando a estrutura biológica da raça. Começamos a gerar uma nova espécie de *homo sapiens*. Estamos eliminando as tendências ruins da sua hereditariedade. Praticamente concluímos a missão de exterminar ou esterilizar os ciganos da Europa; a liquidação dos judeus estará concluída em um ano ou dois [...]. Somos os primeiros a usar a seringa hipodérmica, o bisturi e equipamentos de esterilização na nossa revolução.[19]

O ideólogo nazista fictício de Koestler tinha muitos equivalentes na vida real. Todos deixavam claro que, ao rejeitar o monoteísmo judeu-cristão, também rejeitavam os valores liberais. A esse respeito, estavam mais próximos da verdade que os humanistas seculares de hoje, que se recusam a admitir as origens teístas do liberalismo moderno.

LIBERALISMO EVANGÉLICO

Não há como estabelecer com toda clareza quando surgiu o liberalismo moderno. Sempre houve muitos liberalismos, e não apenas um, e é natural que os autoproclamados liberais neguem o título a outros da mesma tradição. Como acontece com qualquer credo, o liberalismo é propenso às divisões narcisistas que decorrem de pequenas divergências. Mas John Locke (1632-1704) de modo geral é reconhecido como um ponto de partida do pensamento liberal moderno. Seu pensamento tem sob todos os aspectos uma dívida para com o cristianismo, e seu liberalismo é um descendente claro e direto do monoteísmo.

Segundo Locke, os seres humanos eram livres por terem sido criados por Deus com a capacidade de determinar o rumo de sua vida. Os direitos humanos não eram fatos morais autossuficientes, mas enraizados nos deveres humanos para com Deus. Na prática, nem todos os seres humanos estavam sob a proteção desses direitos. Locke considerava que os povos indígenas da América não tinham direito às terras que habitavam, por as terem deixado em estado selvagem. Excluía os ateus do campo da tolerância por considerar que não tinham motivo para honrar suas promessas. Entretanto, aplicados de maneira coerente ou não, os valores liberais de Locke assentavam em premissas monoteístas.

O mesmo se aplica a Kant. Ele julgava possível assentar uma lei moral universal na razão. Empenhando-se em descobrir a que julgamentos morais se dispõem a atribuir caráter universal, os seres humanos formulariam princípios que se aplicam a todos. Mas a crença de que todos que seguem esse método terão de propor os mesmos princípios não se baseia na observação (na verdade, não propõem). Como assinalou Schopenhauer, discípulo mais cético de Kant, só pensará a moral em termos de leis universais aquele que acreditar que existe um legislador divino.

O liberalismo moderno procura assentar uma lei moral universal em bases não teístas. Foi o que tentou John Stuart Mill ao sustentar que o animal humano é uma espécie em progressão. Mas, ainda que a humanidade fosse uma espécie desse tipo, não estaria assegurado um futuro para os valores liberais, pois a liberdade poderia ser útil apenas em determinadas etapas do progresso humano. A liberdade de investigação poderia ser útil apenas enquanto o conhecimento não tivesse chegado a um ponto em que a ética e a política se tornassem disciplinas científicas. Uma vez alcançado esse ponto, a liberdade seria redundante, como considerava Auguste Comte.

Mill ficava horrorizado com essa perspectiva, tendo escrito a sua companheira, Harriet Taylor, que o projeto de Comte redundava em um "liberticídio", e referindo-se ao sistema de pensamento de Comte, em sua

ATEÍSMO, GNOSTICISMO E A MODERNA RELIGIÃO POLÍTICA	107

Autobiografia, como "o mais completo sistema de despotismo intelectual e temporal jamais gerado pelo cérebro humano". Em seu notável ensaio *Auguste Comte e o positivismo* (1865), hoje pouco lido, Mill criticava "a exagerada exigência de 'unidade' e 'sistematização'" de Comte, denunciando as tendências iliberais do seu pensamento:

> Uma das doutrinas mais insistentemente aplicadas pelo Sr. Comte em suas obras tardias é que, na evolução preliminar da humanidade, concluída com a fundação do positivismo, o livre desenvolvimento das nossas forças de todos os tipos era o que importava, mas daí para a frente a maior necessidade era regulá-las. Antes o perigo era que fossem insuficientes, mas, de agora em diante, é que sejam mal-empregadas. Queremos aqui expressar de passagem nossa total discordância dessa doutrina.[20]

A veemência dessas críticas mostra que Comte trouxera à tona certas tensões no pensamento de Mill. Como deixa claro em seu ensaio *A liberdade,* Mill achava que a liberdade é um conceito que só se aplica a "seres humanos na plena maturidade de suas faculdades" — categoria que excluía não só as crianças como também "estados atrasados de sociedade". Como outros liberais da época, Mill nunca evidenciou qualquer dúvida de que o governo colonial do tipo praticado pela Grã-Bretanha e outros Estados europeus servisse à causa do progresso humano. Mas, se a liberdade não tinha aplicação em estados atrasados de desenvolvimento humano, por que deveria ter um lugar permanente em sociedades avançadas? Se o objetivo era progredir em direção a maior felicidade, a liberdade perderia valor à medida que aumentasse o conhecimento dos meios mais eficazes para alcançar a felicidade. O resultado seria uma sociedade iliberal do tipo admirado por Comte e detestado por Mill, na qual o poder estaria nas mãos de especialistas e a liberdade de pensamento e estilo de vida seria restringida, a bem da continuidade do progresso.

Seguindo um modo de pensar gnóstico, o pensador francês considerava que uma nova "ciência do homem" permitiria solucionar dilemas perenes da ética e da política. Imbuído da crença monoteísta de que a história é um processo de redenção humana, ele se convenceu de que a humanidade avançava em direção a esse fim. Uma combinação de mitos gnósticos e cristãos moldou a religião da humanidade de Comte, e ainda hoje molda a mente liberal.

Tendo renunciado ao teísmo, os pensadores liberais elaboraram grandiosas teorias em que seus valores representam o ponto final da história. A feitiçaria da "ciência social",[21] porém, não esconde o fato de que a história não vai a lugar nenhum em particular. Diversos desses pontos finais foram postulados, poucos deles em algum sentido liberal. Para Comte, a etapa final da história era uma sociedade orgânica como a que ele imaginava que havia existido na época medieval, mas baseada na ciência. Para Marx, o ponto final era o comunismo — uma sociedade sem trocas de mercado nem poder de Estado, religião ou nacionalismo. Para Herbert Spencer, era um governo mínimo e um capitalismo mundial de laissez-faire. Para Mill, seria uma sociedade em que cada um vivesse como indivíduo, sem travas impostas pelos costumes ou pela opinião pública.

São pontos finais muito diferentes, mas com uma coisa em comum. Não se verifica qualquer movimento perceptível em direção a qualquer um deles. Como no passado, o mundo apresenta toda uma variedade de regimes: democracias liberais e iliberais, teocracias e repúblicas seculares, Estados-nação e impérios, zonas de anarquia e todos os tipos de tirania. Nada parece indicar que o futuro será diferente.

O que não impediu os liberais de tentar instaurar seus valores mundo afora, em uma sucessão de guerras evangélicas. Possuídos por visões quiméricas de direitos humanos universais, os governos ocidentais derrubaram regimes despóticos no Afeganistão, no Iraque e na Líbia para promover um modo de vida liberal em sociedades que nunca o conheceram. Ao fazer isso, destruíram os Estados por meio dos quais os déspotas governavam, sem deixar nada duradouro em seu lugar. O resultado tem sido a anarquia, seguida pelo advento de novos tipos de tirania, muitas vezes piores.

As sociedades liberais não são modelos de ordem política universal, mas exemplos de um tipo particular de vida. Os liberais, no entanto, insistem em imaginar que só a ignorância impede que seu evangelho seja aceito por toda a humanidade — uma visão herdada do cristianismo. Eles ignoram o fato de que os valores liberais não têm uma ascendência muito forte nas

ATEÍSMO, GNOSTICISMO E A MODERNA RELIGIÃO POLÍTICA

sociedades em que surgiram. Em importantes instituições ocidentais de educação, as tradições de tolerância e liberdade de expressão estão sendo destruídas, em um frenesi de moralismo que lembra a iconoclastia do cristianismo quando chegou ao poder no Império Romano. Se o monoteísmo deu origem aos valores liberais, uma versão secular e militante dessa fé pode abrir caminho para o seu fim.

Como o cristianismo, os valores liberais surgiram por acaso. Se o mundo antigo tivesse permanecido politeísta, a humanidade talvez tivesse sido poupada da violência baseada na fé que invariavelmente acompanha o monoteísmo proselitista. Mas sem o monoteísmo não teria surgido nada parecido com as liberdades liberais que existem em certas partes do mundo. O modo liberal de vida continua sendo uma das formas mais civilizadas de convivência humana. Mas ele é local, acidental e mortal, como os outros modos de vida que os seres humanos desenvolveram e vieram a destruir.

5. Os que odeiam Deus

O MARQUÊS DE SADE E A SOMBRIA DIVINDADE DA NATUREZA

"Arrogante, colérico, irascível, em tudo radical, com uma imaginação dissoluta como nunca se viu, ateu até o fanatismo, em suma este sou eu, e que me aceitem como sou, pois não mudarei."[1] Essa autodescrição fornece um perfil admiravelmente preciso do marquês de Sade. Eternamente associado à crueldade — a expressão "sadismo" foi cunhada no fim do século XIX com base em seu nome —, Donatien Alphonse François, o marquês de Sade (1740-1814), se opôs aos excessos da Revolução Francesa, inclusive o emprego da pena capital, ao mesmo tempo que exortava os revolucionários a ir mais longe na rejeição da moral sexual tradicional. Ficou com a reputação de um devotado libertino, e em seus escritos abundam as descrições de orgias. Mas não há muitas indicações de prazer nesses excessos, apresentando fantasias altamente ritualísticas de tortura, incesto, coprofagia e assassinato sexual, e servindo sobretudo de oportunidade a longas dissertações acerca da moral e da religião.

A maior paixão de Sade não era o sexo nem a crueldade. Mais que qualquer outro impulso, ele era movido pelo ódio a Deus. Foi, senão o primeiro, certamente o maior profeta moderno do misoteísmo — a corrente de pensamento de ódio a Deus como inimigo da humanidade.

SETE TIPOS DE ATEÍSMO

É o misoteísmo de Sade, juntamente com sua visão extraordinariamente original da Natureza, que justifica hoje em dia a sua leitura. Ele queria que sua vida e suas ideias fossem esquecidas. "Quando o túmulo for preenchido", instruía em seu testamento, "que seja semeado com bolotas de carvalho, para que eventualmente desapareça da terra qualquer traço da minha tumba, assim como gosto da ideia de que minha memória será apagada da mente dos homens".[2]

O sonho de Sade de desaparecer da história não se realizou. Ele será para sempre uma figura infame, mas também foi um pensador ateu sério, que explodiu para sempre o conceito de que é possível alcançar uma boa vida seguindo os impulsos humanos naturais.

Mesmo para sua época, a vida de Sade foi movimentada. Nascido em uma família aristocrática francesa cujo título de nobreza remontava ao início do século XII, ele sempre evidenciou uma capacidade muito desenvolvida de autoafirmação:

> Ligado por minha mãe aos mais bem posicionados da terra; por meu pai ao que havia de mais distinto no Languedoc; nascido em Paris em um meio de luxo e permissividade, eu me convenci tão logo fui capaz de pensar de que a natureza e a fortuna se haviam unido para me cobrir de dons. Assim pensava porque haviam sido tolos o suficiente para me dizê-lo, e esse absurdo preconceito me tornou presunçoso, despótico e facilmente irritável; parecia-me que o mundo inteiro devia ceder aos meus caprichos, e que bastava que eles se formassem para serem atendidos.[3]

Sade pôs esse autorretrato na boca de Valcour, um dos protagonistas do seu romance *Aline et Valcour*, que escreveu quando estava preso na Bastilha na década de 1780. Mas isso poderia aplicar-se a ele próprio. No outono de 1763, ele foi preso por "devassidão escandalosa", aparentemente envolvendo a flagelação de prostitutas, e foi encarcerado no castelo de Vincennes, construído no século XIV nas imediações de Paris, onde viria a passar muitos anos.

Naquela época, Sade ainda não havia revelado a furiosa hostilidade à religião que permeia seus escritos. Talvez não surpreenda, assim, vê-lo escrever da prisão ao chefe de polícia em termos contritos:

OS QUE ODEIAM DEUS   113

Por mais infeliz que eu esteja aqui, não me queixo, eu merecia a vingança de Deus e a sinto; deplorar meus pecados e chorar por meus erros são minha única ocupação. Ai de mim, Deus podia ter-me aniquilado sem me dar tempo de me arrepender; quantas graças não Lhe devo por me permitir voltar ao regaço. Senhor, rogo que me conceda os meios de alcançá-lo, permitindo que veja um padre. Pelos bons ofícios de um sacerdote e o meu sincero arrependimento, espero estar em breve em condições de receber os santos Sacramentos, cujo total esquecimento foi a principal causa da minha queda.[4]

Um padre lhe foi enviado, mas, se Sade voltou ao regaço, não foi por muito tempo. Ele teve incontáveis relacionamentos sexuais, inclusive com a irmã de sua mulher, e um caso de conhecimento público com uma notória cortesã, que levou para viver com ele durante algum tempo em seu castelo. Essas relações não saciavam seu desejo. Em 1768, ele se envolveu em um grande escândalo por ter açoitado uma viúva pobre, cortado sua carne com faca e derramado cera quente nas feridas. Afirmou que a viúva havia consentido em troca de dinheiro. Ela alegou que foi induzida a se submeter na crença de que seria contratada como governanta.

Para evitar maiores penalidades, Sade, então preso em Lyon, usou sua influência e a da sogra na corte para conseguir uma *lettre de cachet* — privilégio real que permitia a homens de origem nobre escapar de punições pelos crimes cometidos, sendo encarcerados sem julgamento e depois libertados. Após mais seis meses na prisão, ele foi solto com a condição de não viver em Paris nem em outras cidades grandes. Sua relação com a esposa parece ter melhorado nessa época, e ele passou a maior parte dos quatro anos seguintes com ela no castelo da família em La Coste.

Um escândalo posterior transformaria Sade em fugitivo, para escapar de execução. Em junho de 1772, ele viajou a Marselha com um criado para promover uma orgia, durante a qual — enquanto ele próprio e quatro moças eram açoitados e sodomizados pelo criado — ofereceu a elas doces contendo afrodisíacos. Elas recusaram ou comeram muito pouco, mas uma mulher por ele visitada posteriormente consumiu grande quantidade dos doces e ficou gravemente doente por alguns dias.

114 SETE TIPOS DE ATEÍSMO

O resultado foi uma ordem de prisão contra Sade, sendo ele e o criado condenados à morte por envenenamento e sodomia, e a sentença foi executada com efígies dos dois. Sade escapou fugindo do país acompanhado da cunhada, àquela altura sua amante. Terá sido esse episódio, mais que qualquer outro, responsável por transformar sua influente sogra em uma inimiga mortal. Mas a mulher de Sade tomou partido do marido. Disfarçada de homem, foi visitá-lo na prisão na Itália, e nos posteriores períodos de encarceramento na França lhe levaria comida, livros e outras necessidades.

Sade passou a maior parte dos últimos anos de vida em confinamento. Sem se exercitar, ficou muito gordo, por vezes evidenciando sintomas da loucura de que tanto era acusado. Tornou-se obcecado com números. Nas sessões de flagelação, mantinha uma contagem precisa das chicotadas infligidas e recebidas. Em um bilhete à filha, escreveu: "Esta carta tem 72 sílabas correspondendo às 72 semanas do meu encarceramento; tem 7 linhas e 7 sílabas, que são exatamente os 7 meses e 7 dias de 17 de abril a 22 de janeiro de 1780."[5] Passou a sofrer de delírios, identificando "sinais" em cartas e conspirações contra ele por parte de pessoas próximas. Como às vezes acontece, essas fantasias paranoicas tinham algum fundo de verdade — a sogra de fato conspirava contra Sade, por exemplo. Ele encontrou algum significado em sua vida de isolamento montando funções teatrais, e tentou se firmar como dramaturgo. Sua motivação era em certa medida financeira, pois nas últimas décadas de vida ele enfrentou dificuldades, às vezes sem dinheiro nenhum.

Ao irromper em 1789, a Revolução foi saudada por Sade. Ele pode ter dado uma pequena contribuição para o início da rebelião. Àquela altura havia apenas sete presos na Bastilha, onde ele se encontrava. No dia 2 de julho, não foi autorizado a dar sua caminhada diária pela torre, onde canhões estavam sendo preparados para enfrentar desordens nas ruas adjacentes, e ele gritou para os transeuntes que os presos estavam sendo mortos. No dia seguinte, foi transferido para um asilo. Onze dias depois, a Bastilha, já então quase vazia, foi tomada. Seguiu-se a Revolução, com uma repressão mais severa e perda de vidas muito maior que em qualquer momento do *ancien régime*.

OS QUE ODEIAM DEUS

Sade reagiu aos acontecimentos em *Força, franceses, se quiserem ser republicanos!*, panfleto que incluiu em *A filosofia na alcova* (1795), romance em forma de diálogo. Ele preconiza a proibição da religião — "Nada mais de deuses, franceses", proclama, "nada mais de deuses, para que não desejeis, sob a fatal influência deles, ser mergulhados de novo nos horrores do despotismo" — e a abolição da "atrocidade da pena capital". Matar outro ser humano poderia se justificar, afirma, se o ato for cometido em um impulso de paixão, mas não pelos processos "frios e impessoais" da lei. Sade também defendia o comunismo sexual, argumentando que as mulheres eram na verdade um tipo de propriedade a ser distribuído de acordo com os princípios da igualdade.

Durante o Terror, Sade correu risco de vida porque seu nome foi equivocadamente incluído em uma lista de emigrados contrarrevolucionários, sendo o seu castelo saqueado. Depois de alguns anos de liberdade, ele foi detido em 1800, aparentemente porque pretendia publicar *Juliette*, obra considerada extremamente imoral. Morreria na prisão em dezembro de 1814, aos 74 anos. Por testamento, estabelecera que fosse enterrado sem nenhuma cerimônia nem manifestações de luto, mas, no fim das contas, teve um enterro cristão e uma cruz fincada em seu túmulo.

Sade passou quase trinta anos em algum tipo de prisão, e os últimos treze anos de vida em um asilo de loucos. Foi no encarceramento em Vincennes que escreveu a primeira de suas obras suscetíveis de serem identificadas com alguma certeza, *Um diálogo entre um padre e um moribundo* (1782), na qual expunha claramente a filosofia ateia de que nunca se desviou.

O moribundo, representando o próprio Sade, diz ao padre que quer se arrepender. Não se arrepende dos pecados cometidos, mas de não os ter cometido mais. Seu único motivo de arrependimento é ter usado muito pouco a capacidade de sentir prazer que lhe foi dada pela Natureza. Considerando-se um discípulo da Natureza, ele gostaria de ter seguido mais fielmente suas ordens. Não teme o nada que vem com a morte, pois a Natureza vai lhe conferir certo tipo de imortalidade. O nada, diz ele ao padre, não é

116 SETE TIPOS DE ATEÍSMO

> nem terrível nem absoluto [...]. Não tenho diante dos olhos o exemplo das perpétuas gerações e regerações da Natureza? Nada se extingue no mundo, meu amigo, nada se perde; homem hoje, um verme amanhã, depois de amanhã uma mosca... E o que me dá o direito de ser recompensado por virtudes que não detenho por culpa própria, ou punido por crimes cuja responsabilidade derradeira não é minha? [...] Somos joguetes de uma força irresistível, e nem por um só momento temos o poder de fazer o que quer que seja senão tirar o melhor proveito da nossa condição e seguir em frente pelo caminho que foi traçado para nós. Não existe uma única virtude que não seja necessária à Natureza, nem, inversamente, um único crime de que ela não precise [...].

Como o padre não se convence com esse raciocínio, o moribundo chama seis mulheres, "mais adoráveis que a luz do dia", que aguardam na sala ao lado para lhe dar prazer nas últimas horas, e que também passam a servir ao sacerdote. Depois de receber seus favores, o padre se converte à filosofia do moribundo, tornando-se "um que foi corrompido pela Natureza, tudo porque não fora capaz de explicar o que é uma natureza corrompida".[6]

Esse texto do período inicial é típico dos escritos de Sade em seu tom didático. Ele escreve para converter os leitores de sua fé ilusória em uma deidade benevolente. "A ideia de Deus", escreve, "é o único erro pelo qual não posso perdoar a humanidade".[7] O fato de considerar imperdoável essa crença evidencia seu grau de ódio à religião. E também mostra que nunca deixou de ser religioso.

Em seu ensaio "Deve-se queimar Sade?", Simone de Beauvoir escreveu: "A natureza de Sade era profundamente irreligiosa."[8] Ela se equivocava. Embora ele às vezes fingisse rir da ideia de Deus, na verdade era possuído por ela. De Beauvoir acertava ao descartar as reflexões que Sade punha na boca de seus protagonistas dissolutos como mero pedantismo materialista: "Em vez de uma voz individual, ouvimos apenas a ladainha disparatada de Holbach e La Mettrie."[9] Ela se referia a Julien Offray de La Mettrie (1709-1751) e ao barão de Holbach (c. 1723-1789), que encaravam os seres humanos como máquinas complexas governadas pela busca do prazer. Esses pensadores materialistas ponderavam que, se a humanidade abrisse mão da religião e seguisse os impulsos da natureza, o resultado seria um mundo muito mais feliz. Nos círculos esclarecidos da época de Sade, era uma visão corriqueira. Mas sua própria versão do materialismo feria uma nota mais sombria. Detestando o Deus cristão, ele também odiava a Natureza, amaldiçoando-a apesar de obedecer àquelas que eram suas leis, na sua visão.

Uma visão desapaixonada da Natureza mostrava que ela era indiferente à felicidade, fosse humana ou de alguma outra esfera. A constante predação, destruição e morte é a ordem natural das coisas. Em vista disso, Sade fazia uma pergunta: o indivíduo esclarecido, liberado das ilusões religiosas, não deveria aceitar essa ordem e se deleitar com ela? Se o fizer, vai encontrar prazer, ainda que a espécie como um todo continue mergulhada no sofrimento. Causar sofrimento a outros pode gerar excitação muito além da alcançada pela mera devassidão.

A exposição desse materialismo sombrio enche muitas páginas dos escritos de Sade. Alguns diálogos colhidos quase de modo aleatório em *Juliette* permitem capturar o espírito desse hedonismo peculiarmente voluntarioso e cerebral. Conversando com um filósofo libertino que é carrasco de profissão, Juliette pergunta: "Estou correta ao supor que só com a ajuda da libertinagem se consegue superar o preconceito antinatural?" O carrasco filósofo responde:

Ninguém mais contesta, senhora, que a libertinagem conduz logicamente ao assassinato; e o mundo inteiro sabe que o indivíduo exaurido pelo prazer precisa recobrar forças por esse modo de cometer o que os tolos tendem a chamar de crime: submetemos esta ou aquela pessoa ao máximo de agitação, as repercussões nos nossos nervos são o mais poderoso estímulo imaginável, e assim se restauram em nós as energias anteriormente perdidas nos excessos. O assassinato assim se apresenta como o mais delicioso dos veículos da libertinagem, e também o mais certo [...].[10]

SETE TIPOS DE ATEÍSMO

Mais adiante, Juliette discorre sobre o prazer que extraiu de um surto de fome ocorrido nas proximidades do seu castelo:

> Tudo que seria capaz de comover um coração de pedra se apresentou ao meu olhar tranquilo, que não se moveu, eu me mantive firme: mães chorando, crianças nuas, figuras fantasmagóricas consumidas pela fome, eu me limitava a sorrir [...]. A lógica da coisa era absolutamente simples: eu sentia prazer simplesmente por negar aos necessitados os recursos que lhes dariam alívio; ah, o que eu não poderia sentir se fosse a única e direta causa dessa necessidade? Se é tão doce, pensava, recusar-se a fazer o bem, deve ser celestial fazer o mal.[11]

A finalidade do libertinismo de Sade era a busca do mal pelo mal. É o que ele explicita ao pôr na boca de um bispo a seguinte declaração, em *Os 120 dias de Sodoma*: "A doutrina que deve constantemente governar nossa conduta é: quanto mais prazer se buscar nas profundezas do crime, mais terrível deve ser o crime." Um dos interlocutores do bispo responde:

> Existem apenas dois ou três crimes a serem cometidos neste mundo, e, uma vez cometidos, nada mais há a dizer; tudo mais é inferior, a gente deixa de sentir. Ah, quantas vezes, meu Deus, não desejei ser capaz de arremeter contra o sol, arrancá-lo do universo, gerar total escuridão e usar essa estrela para queimar o mundo? Ah, seria um crime, ah, sim, e não uma pequena infração como todas essas que cometemos, e que se limitam durante um ano inteiro a transformar uma dúzia de criaturas em blocos de argila.[12]

Para os libertinos de Sade, o assassinato sexual é um crime por demais insignificante para realmente dar prazer. Suas paixões só poderiam ser saciadas com um ato capaz de destruir o mundo. Eles não estão atrás do prazer em si mesmo, mas da satisfação decorrente da prática do mal.

Já deve estar claro a esta altura que a rebelião de Sade é essencialmente religiosa. E também perfeitamente confusa. Os libertinos de Sade se rebelaram contra o Deus do monoteísmo para servir à divindade da Natureza.

OS QUE ODEIAM DEUS

Mas, se tudo que os seres humanos fazem é natural, como considerar a religião contrária à Natureza? Rezar não é menos natural que fazer sexo, nem a virtude, que o vício. Se tudo que os seres humanos fazem é determinado pela Natureza, eles estão seguindo a Natureza quando obedecem à moral e às convenções. No *Diálogo entre um padre e um moribundo*, Sade acusava a religião de corromper a humanidade natural. Mas o que pode ser considerado corrupção? Como Satã no *Paraíso perdido* de Milton, o lema de Sade é "Mal, seja o meu bem". No entanto, se tudo que é natural é bom, não pode haver mal.

Sade acreditava que seu ateísmo sustentava uma ética republicana de igualdade. Em *Força, franceses, se quiserem ser republicanos!*, ele escreveu que o republicanismo impunha um comunismo sexual:

> Se se tornar incontestável que recebemos da Natureza o direito de manifestar indiscriminadamente nosso desejo a todas as mulheres, também haverá de se tornar incontestável que temos o direito de impor sua submissão [...]. Não demonstrou a Natureza que temos esse direito, conferindo-nos a força necessária para submeter as mulheres a nossa vontade?[13]

Mais adiante no panfleto ele afirma, de maneira incoerente, que as mulheres deveriam exercer direitos semelhantes sobre os homens. Em uma nota de rodapé, escreve que não está sugerindo que um se torne propriedade do outro, apenas que cada um tem o direito de desfrutar do outro.

Como muitos outros autores iluministas da época, Sade tenta justificar sua exigência de mudanças radicais na moral sexual citando costumes de outras culturas. Os gregos antigos promoviam orgias regularmente em benefício da cidadania, observa. Mas a diversidade de costumes não caracteriza nenhum modo de vida como o melhor. Sade escreve que uma mulher "existindo na pureza das leis da Natureza" não pode objetar se for forçada a satisfazer os desejos dos homens, pois nessa condição "ela decididamente pertence a todos os homens". Os elos do casamento e das relações de exclusividade baseadas no amor ("a loucura da alma") é que são antinaturais.[14] Mais uma vez, contudo, se tudo que os seres humanos fazem é natural, assim também serão os vínculos gerados pelo amor. Se a Natureza tem alguma lição a ensinar, é apenas que os seres humanos são capazes de encontrar satisfação de muitas maneiras.

A originalidade de Sade não está em sua horrível utopia, que tivera uma versão teocrática instituída por Jan Bockelson dois séculos antes em Münster, mas em sua assustadora visão da Natureza. O que fica mais claro em *Justine ou os infortúnios da virtude* e em *Juliette, a prosperidade do vício*, que só em 1797 foram publicados em sua forma final e só ganhariam livre circulação na França no início da década de 1960. Aqui, a Natureza não é uma mestra benigna de virtude, mas uma deusa malévola que se deleita na destruição. "A Natureza não elaborou estatutos nem instituiu códigos; sua única lei está escrita no fundo do coração de cada homem: satisfazer-se, nada negar às próprias paixões, independentemente do custo para os outros."[15] A Natureza não se limita a aprovar o mais extremo egoísmo. Inspira nos seres humanos o prazer da destruição encarnado nela mesma. "Nunca serão muitos nem suficientes os assassinatos cometidos na Terra, considerando-se a ardente sede que deles tem a Natureza."[16]

Sade insiste em que obedecer à Natureza não traz a felicidade:

> A rejeição da vida se torna tão forte na alma que não há um único homem que quisesse voltar a viver, ainda que essa oferta fosse feita no dia da sua morte [...] sim, eu detesto a Natureza. E a abomino porque a conheço bem [...]. Senti uma espécie de prazer em copiar seus feitos vis. Que ser desprezível e odioso esse que me fez ver a luz do dia apenas para me levar a sentir prazer em tudo que causa dano a meus semelhantes [...]. Eu tinha de ter uma mãe assim? Não; mas vou imitá-la, ao mesmo tempo que a detesto. Vou copiá-la, como ela própria deseja, mas a amaldiçoando sem cessar [...].[17]

Quem assim se expressa é um personagem de *Juliette*, mas é difícil acreditar que tais sentimentos não fossem do próprio Sade. Em um conhecido ensaio sobre "Juliette ou Iluminismo e moral", Theodor Adorno e Max Horkheimer escreveram que no mundo sadiano "a tortura se torna a verdade essencial e uma feliz vaidade da vida".[18] Os filósofos marxianos queriam dizer que isso

OS QUE ODEIAM DEUS
121

se aplicava ao mundo humano. Para Sade, porém, era uma descrição fiel do cosmo. Uma vida feliz era vaidade porque a Natureza o havia condenado ao sofrimento.

Sade se equivocava ao julgar que deixara o monoteísmo para trás. Em vez disso, trocou uma deidade imperdoável por outra. Se invectivava o Deus do cristianismo por ter criado um mundo tomado pelo mal, atacava com igual violência a deusa malévola da Natureza por ele mesmo inventada. Só alguém criado no monoteísmo cristão e incapaz de descartá-lo podia adotar uma posição assim.

Ao recomendar o retorno à Natureza, os epicuristas pregavam um tranquilo distanciamento em relação ao mundo humano. Quando o poeta italiano Leopardi — que, apesar de ter sido criado como um bom católico, parece ter abandonado totalmente as ideias cristãs — apresentava a Natureza como uma máquina impiedosa, estava querendo dizer que essa visão devia inspirar compaixão. Para os ateus que de fato deixaram o monoteísmo para trás, não existe um problema do mal. Em consequência, podem desfrutar de uma tranquilidade que Sade nunca alcançou nem talvez tenha desejado.

A implicação do ateísmo é que o mundo simplesmente existe, não requerendo um autor. No entanto, Sade não conseguia dispensar algum tipo de agente suscetível de ser responsabilizado por seu próprio sofrimento e (embora isso fosse menos importante para ele) o de seus semelhantes. Rejeitando o Deus cristão como representação do mal, ele se voltou para a Natureza; mas o mal retornou na forma da deusa sombria por ele inventada. Sua solução consistiu em se rebelar contra a Natureza, mesmo obedecendo aos impulsos destrutivos que nele implantara.

IVÃ KARAMAZOV DEVOLVE A ENTRADA

Um contemporâneo russo de Dostoievski, o crítico e reformista social Nikolai Mikhailovsky, referiu-se ao escritor como "um talento cruel". Ele tinha em mente, para começo de conversa, o tormento psicológico a que o narrador da novela *Notas do subterrâneo* (1863) submete Liza, uma prostituta de quem se aproxima. Escreve Mikhailovsky:

Não há motivos para sua maldade em relação a ela, o homem do subterrâneo não espera nenhum resultado dessa perseguição [...] o herói a atormenta porque quer atormentar ou gosta de fazê-lo. Não há qualquer causa ou objetivo envolvido, e, segundo o autor, não seriam necessários, pois existe uma crueldade incondicional, uma crueldade *an und für sich* (por si mesma), que é precisamente o que é interessante.[19]

A existência de crueldade sem motivo era um dos motivos pelos quais Dostoievski rejeitava as filosofias racionalistas pelas quais se sentira atraído na juventude, assim como muitos outros intelectuais russos de sua geração. Nascido em 1821, ele entrou quando estava na casa dos 20 para um círculo de intelectuais radicais de São Petersburgo, encantados com as teorias socialistas utópicas francesas. Um policial que havia se infiltrado no grupo relatou seus debates às autoridades. No dia 22 de abril de 1849, Dostoievski foi detido e encarcerado com os outros membros. Depois de alguns meses de investigação, eles foram considerados culpados de planejar a distribuição de propaganda subversiva e condenados à morte no pelotão de fuzilamento. A pena foi comutada para exílio e trabalhos forçados, mas a autoridade do czar para dispor da vida dos presos seria confirmada com a realização de um arremedo de execução.

Numa farsa meticulosamente encenada, Dostoievski e o restante do grupo foram levados na manhã de 22 de dezembro de 1849 para um campo de paradas militares onde um tablado fora erguido e decorado com crepe negro. Seus respectivos crimes e sentenças foram lidos em voz alta, um padre ortodoxo pediu que se arrependessem, e três homens foram amarrados a estacas para serem executados. No último momento, ouviu-se um rufar de tambores e o pelotão de fuzilamento baixou os fuzis. Livres da morte, os prisioneiros foram algemados e mandados para o exílio na Sibéria — no caso de Dostoievski, para quatro anos de trabalhos forçados, seguidos de serviço compulsório no exército russo. Em 1859, o novo czar decretou o fim do exílio siberiano de Dostoievski. Um ano depois, ele estava de volta ao mundo literário de São Petersburgo.

A experiência mudou Dostoievski para sempre. Não mudou seu ponto de vista de que a sociedade russa precisava ser radicalmente reformada.

Ele continuou a considerar imoral a servidão, e até o fim da vida detestou a aristocracia fundiária. Mas a experiência de supostamente chegar à beira da morte lhe dera uma nova perspectiva. Muitos anos depois ele observaria: "Não me lembro de ter sido tão feliz quanto naquele dia." A partir de então, ele se deu conta de que a vida humana não era um movimento de um passado atrasado em direção a um futuro melhor, como acreditava, pelo menos até certo ponto, na época em que compartilhava as ideias da intelligentsia radical. Na verdade, cada ser humano estava a cada momento no limiar da eternidade. Depois dessa epifania, Dostoievski rejeitaria para sempre o racionalismo pelo qual se sentira atraído na juventude.

De volta de uma década de exílio siberiano, ele se mostrou desdenhoso das ideias que encontrara em São Petersburgo. A nova geração de intelectuais russos estava atada com uma mistura de filosofias europeias. Materialismo francês, humanismo alemão e utilitarismo inglês se combinavam em um composto tipicamente russo que veio a ser conhecido como "niilismo".

Hoje, considera-se niilista em geral alguém que não acredita em nada. Os niilistas russos da década de 1860 eram muito diferentes. Eram fervorosos seguidores da ciência empenhados em destruir a religião para propiciar o surgimento de um mundo melhor que qualquer outro até então existente. Esse tipo de niilismo era o credo da maioria daqueles que rejeitavam a religião ao longo dos séculos XIX e XX. E ainda é o credo da maioria dos pensadores seculares hoje, estejam eles conscientes disso ou não.

Dostoievski rejeitava essa fé racionalista. Os seres humanos nada têm a ver com os animais racionais imaginados pelos filósofos. Não se guiam na vida por motivos de interesse próprio ou preocupação com o bem-estar geral. Seus atos expressam seus impulsos, entre os quais não só um desejo de crueldade pela crueldade como também um desejo de liberdade.

Dirigindo-se à intelligentsia a que o próprio Dostoievski pertencera em certo período, o narrador de *Notas do subterrâneo* pergunta, zombeteiro:

124   SETE TIPOS DE ATEÍSMO

vocês querem curar o homem dos seus velhos hábitos e aprimorar sua vontade de acordo com as exigências da razão e do senso comum. Mas como sabem não apenas se é possível, mas até se é *necessário* reformulá-lo dessa maneira? [...]. Afinal, e se o homem não apreciar apenas o bem-estar? O homem adora criar e construir estradas, é indiscutível. Mas por que se mostra também tão apaixonadamente voltado para a destruição e o caos? [...] Por que estão vocês tão firmes e triunfantemente convencidos de que apenas o normal e o positivo — em suma, apenas o bem-estar — é vantajoso para o homem? E se ele amar igualmente o sofrimento? E se o sofrimento for tão vantajoso para ele quanto o bem-estar?[20]

Os pensadores progressistas imaginavam que seria possível construir um novo mundo recorrendo à razão humana. Dostoievski não considerava que algo assim fosse possível, mas detestava o que acreditava que seria gerado caso isso fosse perseguido. "Vocês acreditam no palácio de cristal, para sempre indestrutível, isto é, um palácio para o qual não se pode botar a língua furtivamente nem fazer um gesto rude [...]. Bem, talvez eu tenha tanto medo dessa construção precisamente por ser feita de cristal e ser para sempre indestrutível, e por não ser possível botar a língua para fora ainda que furtivamente."[21]

Notas do subterrâneo foi o primeiro livro importante que Dostoievski escreveu ao voltar da Sibéria. Em certa medida, era uma crítica voltada para o romance utópico *Que fazer?*, do escritor radical russo Nikolai Tcherniche-vski. Mas outra fonte de *Notas do subterrâneo* foi uma visita que Dostoievski fez a Londres em 1862, no contexto de uma viagem de dois meses e meio pela Alemanha, França, Inglaterra, Suíça e Itália. Em *Que fazer?*, um dos personagens de Tchernichevski sonha com o Palácio de Cristal que fora construído em Londres para a Grande Exposição de 1851. Não sabemos ao certo se ele viu o palácio ao visitar Londres em 1859, para se encontrar com Alexander Herzen, mas para Tchernichevski ele corporificava a moderna fé na razão e no progresso. Nos oito dias que passou em Londres, Dostoievski de fato o visitou. E registrou a experiência em um ensaio, *Notas de inverno sobre impressões de verão*, publicado em fevereiro de 1863 no jornal *Vremya* (*Tempo*), de que era editor à época. Ele achou Londres horrenda:

OS QUE ODEIAM DEUS 125

Uma cidade insondável como o oceano, alvoroçada dia e noite; ranger e rugir de máquinas; ferrovias passando por cima das casas (e em breve por baixo delas também); aquela audácia do empreendimento, aquela aparente desordem que na verdade é uma ordem burguesa do mais elevado grau; aquele Tâmisa poluído; aquele ar saturado de pó de carvão; aqueles esplêndidos parques e praças; aqueles terríveis bairros como Whitechapel, com sua população seminua, selvagem e faminta. Uma cidade com seus milhões e seu comércio planetário, o Palácio de Cristal, a Exposição Internacional [...]. Ah, sim, a Exposição é incrível [...]. É tudo tão solene, triunfante e orgulhoso que a gente fica sem fôlego. Olhamos para essas centenas de milhares, esses milhões de pessoas humildemente vindo para cá de todas as partes do mundo — as pessoas chegam com uma ideia única, se amontoando tranquila, silenciosa e inexoravelmente nesse palácio colossal, e a gente sente que alguma coisa aconteceu, que algo chegou ao fim.[22]

Em *Notas do subterrâneo*, as impressões de Dostoievski sobre o Palácio de Cristal eram usadas em uma investida satírica contra os pensadores niilistas da época. Um elemento fundamental dessa filosofia era a crença de que a vida humana é governada pelas "leis da natureza". Os seres humanos não decidem ser cruéis ou bons; simplesmente manifestam essas qualidades de acordo com as leis naturais. Tanto o homem amargurado do subterrâneo quanto o deplorável alvo de sua crueldade são governados por essas leis. No homem subterrâneo, o resultado não é matar por matar, como em Sade, mas a pura e simples maldade: o sórdido prazer de humilhar outro ser humano. Em *Os Demônios*, de Dostoievski, contudo, a filosofia niilista leva ao suicídio e ao assassinato.

Publicado em 1872, o livro tem sido criticado pelo tom didático. Não resta dúvida de que Dostoievski queria mostrar que as ideias dominantes de sua geração eram perigosas. Mas a história que conta também é uma comédia, cruelmente divertida na descrição de intelectuais bem-intencionados brincando com a revolução sem nada saber de seu significado na prática. A trama é uma versão de acontecimentos reais que ocorriam enquanto Dostoievski escrevia o livro. Sergei Nechaev, um ex-professor de teologia transformado em terrorista, é preso e condenado por cumplicidade no assassinato de um

126 SETE TIPOS DE ATEÍSMO

estudante. Nechaev escrevera um panfleto, *Catecismo de um revolucionário*, sustentando que todos os meios (inclusive chantagem e assassinato) podiam ser usados pela causa da revolução. Por questionar as escolhas de Nechaev, o estudante devia ser eliminado.

As primeiras traduções inglesas do romance se intitulavam "Os Possuídos", versão equivocada de uma palavra russa mais bem transposta como "demônios". Mas o título anterior de fato estava mais próximo das intenções de Dostoievski. Embora ele por vezes se mostre impiedoso no retrato dos revolucionários, não são eles os demônios do romance. Demônios são as ideias pelas quais são possuídos. Para Dostoievski, nenhuma dessas ideias era mais importante que o ateísmo.

Dostoievski descreve essa possessão no personagem de Alexei Nilych Kirillov, integrante de uma sociedade revolucionária secreta na cidade provinciana onde se passa a ação do romance. Para libertar a humanidade do medo da morte decorrente da perda de toda crença em Deus, Kirillov decidiu se matar. Como Nietzsche, que inventou o super-homem como sucessor de Cristo, ele se considera uma figura redentora capaz de livrar a humanidade da falta de sentido.

Kirillov explica:

> Era um dia na Terra, e no meio da Terra havia três cruzes. Um dos que estavam na cruz acreditava tanto que disse a outro: "Ainda hoje estarás comigo no paraíso." O dia chegou ao fim, ambos morreram, se foram e não encontraram o paraíso nem a ressurreição. O que fora dito não se revelou verdadeiro. Ouçam: esse homem era o mais elevado em toda a Terra, ele representava aquilo por que se vive. Sem esse homem, todo o planeta com tudo que nele há é apenas loucura. Não houve nenhum como *Ele* nem antes nem depois, jamais, chegando mesmo a ser um milagre. É este o milagre, que não tenha havido nem jamais possa haver alguém como ele. E assim, se as leis da natureza não se apiedaram sequer *Dele*, não se apiedaram sequer do seu próprio milagre, fazendo-O viver também em meio a uma mentira e morrer por uma mentira, então o planeta inteiro é uma mentira, e repousa em uma mentira e em uma estúpida zombaria. De modo que as próprias leis do planeta são uma mentira e uma comédia do diabo [...].

OS QUE ODEIAM DEUS

[...] É meu dever proclamar a descrença [...]. O homem nada mais fez que inventar Deus, para viver sem se matar; nisso reside toda a história do mundo até agora. Só eu, pela primeira vez na história do mundo, não quis inventar Deus [...]. Reconhecer que não existe Deus e ao mesmo tempo não reconhecer que você se tornou Deus é um absurdo; caso contrário, você necessariamente teria de se matar [...]. Mas aquele que vem primeiro necessariamente deve se matar; caso contrário, quem vai começar e prová--lo? Eu é que necessariamente vou me matar para começar e provar [...] é meu dever acreditar que não acredito [...]. Eu encontrei: o atributo da minha divindade é... Obstinação![23]

Kirillov assina uma carta em que assume responsabilidade pelo assassinato de um estudante considerado informante da polícia, que fora morto pelo grupo revolucionário. E então, como prometera, mata a si mesmo com um tiro. O outro conspirador a quem explicara sua intenção encontra Kirillov em uma poça de sangue no chão, com o cérebro esfacelado, um revólver ainda na mão.

A história apresenta vários elementos. Um deles tem a ver com a natureza do ateísmo, que segundo Dostoievski era um projeto de autoendeusamento. Tendo renunciado à ideia de qualquer poder divino fora do mundo humano, os seres humanos não podiam deixar de invocar poderes divinos para si mesmos. Se não podiam abolir a morte, podiam se revelar superiores a ela. Era o que Kirillov julgava estar fazendo ao se matar. Pouquíssimos eram capazes de tal atitude de desafio. Mas se sacrificando assim, eles — como o Cristo — redimiam toda a humanidade.

Outro elemento do romance diz respeito à força destruidora dos projetos sacrificiais na política. Como Nechaev, os conspiradores do romance acreditavam que quaisquer meios se justificavam se levassem à liberdade. O resultado, no caso deles, era o sórdido assassinato. Mas Dostoievski acreditava que, se sua filosofia fosse aplicada em mais ampla escala, o resultado seria um tipo de tirania mais radical e destrutivo que qualquer outro do passado. Ele põe esta conclusão na boca de Shigalyov, o principal teórico do grupo:

[...] Estou propondo meu próprio sistema de organização mundial [...] [Mas] meu sistema não está acabado. Eu me confundi com meus próprios dados, e minha conclusão entra em contradição direta com a ideia com que comecei. Tendo começado na liberdade ilimitada, eu concluo com o despotismo ilimitado. Devo acrescentar, contudo, que, à parte minha solução da fórmula social, não pode haver outra.[24]

Outros membros do grupo sustentam que a concretização da visão de Shigalyov exigiria "privar de vontade nove décimos da humanidade e refazê-los como um rebanho, pela reeducação de gerações inteiras". Só assim seria possível criar um paraíso terrestre. Mas refazer a humanidade é um projeto que só pode avançar "pelo radical corte de 100 milhões de cabeças" — missão que poderia levar "cinquenta ou, digamos, trinta anos" para ser concluída.[25]

Como premonição do resultado prático de semelhante esquema de emancipação humana — o comunismo —, a visão expressa por Dostoievski é extraordinariamente presciente. As baixas da experiência soviética chegaram a dezenas de milhões, e estima-se que o regime de Mao matou algo em torno de 70 milhões de pessoas. Essas estatísticas não incluem as incontáveis vidas abreviadas ou destruídas.

Dostoievski não tinha um remédio para os males que diagnosticava. Seus pontos de vista políticos eram influenciados por um tipo de messianismo russo em que certa imagem romântica da cultura e do lugar do país no mundo se misturava ao pan-eslavismo e ao antissemitismo. À parte pogroms e a ruína russa, nada mais resultaria dessa tóxica combinação. Mas o objetivo de Dostoievski em *Os demônios* não era sobretudo a profecia. Era levar adiante a rebelião humana contra a teodiceia, secular ou religiosa. Esse é um tema explorado em muitos escritos de Dostoievski, sobretudo em *Os irmãos Karamazov*.

Tal como contemplada no cristianismo, e mais adiante nas visões humanistas do progresso em direção a um novo mundo, a teodiceia é a busca da harmonia. Desprovida de conflitos trágicos, uma nova sociedade seria como o céu cristão. Mas Ivã Karamazov, um racionalista que não consegue entender o mundo, rejeita todo e qualquer ideal de harmonia:

OS QUE ODEIAM DEUS 129

[...] Eu renuncio totalmente a toda harmonia superior. Não justifica sequer uma pequena lágrima daquela criança atormentada que batia no peito com seu punhozinho e orava para o "querido Deus" em uma privada externa fedorenta com suas lágrimas irredimíveis! [...] Eu não quero harmonia, pelo amor da humanidade, não a quero. Quero ficar com o sofrimento sem recompensa. Prefiro ficar com meu sofrimento sem recompensa e minha indignação sem resposta, *ainda que esteja errado.* Além do mais, eles cobram um preço muito alto pela harmonia; não podemos pagar tão caro assim pela entrada. De modo que me apresso a devolver minha entrada. E é meu dever, no mínimo como um homem honesto, devolvê-la o mais cedo possível. E é o que estou fazendo. Não é que eu não aceite Deus, Alyocha, apenas devolvo minha entrada, com todo respeito.[26]

O que Ivã rejeita não é apenas a teodiceia cristã, mas qualquer ideia que tente reconciliá-lo com os males do mundo. Ele ficaria horrorizado com a filosofia de Spinoza, discutida no capítulo 7, na qual esses males constituem uma parte necessária da ordem racional das coisas. Ivã recusa qualquer tipo de consolo dessa natureza. Como Kirillov, ele se rebela contra Deus. O pensador existencialista francês Albert Camus escreveu a respeito de Kirillov que "seu raciocínio é clássico em sua clareza. Se Deus não existe, Kirillov é Deus. Se Deus não existe, Kirillov tem de se matar. A lógica é absurda, mas necessária".[27] O raciocínio de Ivã, porém, não é absurdo assim. Sua revolta não é uma manifestação de obstinação. Ele não tem saída. Está preso em um ódio impotente de Deus e do mundo.

Se a atitude de Ivã expressava a de Dostoievski vem a ser uma questão intrigante. Referindo-se a outro integrante do grupo revolucionário, Kirillov diz: "Se Stavrogin acredita, não acredita que acredita. E se não acredita, ele não acredita que não acredita."[28] O que quer que acreditasse, Dostoievski não podia aceitar que Deus fosse pura bondade. Achava difícil imaginar qualquer tipo de bondade. Como já se observou tantas vezes, os personagens "bons" dos romances de Dostoievski não são convincentes. O que certamente se aplica a *Os irmãos Karamazov.* Dissimulado, cínico e egoísta, Fiodor Pavlovich Karamazov parece mais verossímil que qualquer dos três filhos, embora Dimitri — que mata o pai — se pareça com ele sob certos aspectos. Como tantas encarnações da virtude na ficção de Dostoievski, Alexei Fiodoróvich Karamazov ("Alyosha"), o irmão menor, noviço em um mosteiro ortodoxo russo e considerado o herói do romance pelo próprio Dostoievski, tem algo do louco santo. Seu professor, o Velho Zosima, aparece como um velhote chato e sentencioso. Embora Dostoievski pudesse acreditar na bondade, ele escreve como se não acreditasse que acreditava.

A parábola do Grande Inquisidor é onde Dostoievski se mostra mais paradoxal. Jesus veio ao mundo com uma promessa de liberdade. Ao voltar na época da Inquisição espanhola, logo é reconhecido e levado ao cardeal grande inquisidor, "um velho de quase 90 anos, alto e empertigado, de rosto seco e olhos fundos, nos quais ainda se vê um brilho fogoso".

O erro de Jesus, diz o inquisidor, foi acreditar que a humanidade quer liberdade. Na verdade, ela não tem capacidade nem desejo de ser livre. O que quer é o pão cotidiano, além de demonstrações de mistério e autoridade. A maioria dos seres humanos teme a liberdade como a pior maldição que poderia se abater sobre eles:

A liberdade, a razão livre e a ciência os levarão a um tal labirinto, defrontando-os com tais milagres e mistérios insolúveis, que alguns deles, rebeldes e violentos, promoverão o próprio extermínio; outros, rebeldes mas fracos, exterminarão uns aos outros; e o terço restante vai rastejar aos nossos pés e clamar: "Sim, vocês tinham razão [...] estamos voltando para vocês — para que nos salvem de nós mesmos" [...]. E todos ficarão felizes, todos os milhões de criaturas, exceto os 100 mil que os governam. Pois apenas *nós*, nós que guardamos o mistério, apenas nós seremos infelizes. Haverá bilhões de bebês felizes e 100 mil sofredores que chamaram a si a maldição do conhecimento do bem e do mal. Pacificamente eles morrerão, pacificamente vão expirar em nome dos outros, e além-túmulo encontrarão apenas a morte. Mas nós manteremos o segredo, e pela felicidade dos outros vamos atraí-los com uma recompensa celestial e eterna [...]. Amanhã você verá esse rebanho

OS QUE ODEIAM DEUS

obediente, que ao meu primeiro gesto vai amontoar carvões em brasa em torno da fogueira, onde você vai arder por ter vindo interferir conosco. Pois se alguém mereceu a nossa fogueira, foi você.[29]

Jesus, no entanto, não é queimado na fogueira. Depois de se manter calado durante a peroração do inquisidor, ouvindo "calma e atentamente" e "aparentemente sem querer contradizer nada", ele se aproxima do velho e o beija. O inquisidor vai até a porta da cela da prisão, abre-a e diz a Jesus: "Vai e não volta [...] não volte em hipótese nenhuma [...] nunca, nunca!" E o prisioneiro se vai.

A filosofia do Grande Inquisidor é aquela que os niilistas desenvolveram melhor. O cerne da parábola é o ateísmo do inquisidor. "Sim, está aí todo o segredo." O inquisidor é um ateu que não ama Deus, mas de alguma forma não perdeu o amor pela humanidade.

A parábola de Ivã encerra alguns enigmas. Nela, o inquisidor segue as instruções de Satã. Mas Satã sempre foi — pelo menos no cristianismo — um rebelde contra Deus. Como é possível tal rebelião se não existe Deus? Afinal, o Grande Inquisidor não acredita em Deus. Será que o próprio Dostoievski não acreditava em Deus, mas apenas no Diabo? A imagem de Satã por ele apresentada, quando Ivã é acometido de febre cerebral no fim do romance e recebe uma visita alucinatória, parece indicar o contrário.

O Satã de Dostoievski não é o de Milton, um anjo orgulhoso que desafia Deus. É um aristocrata ardiloso, amável e mal-ajambrado: "certo tipo de cavalheiro russo, não mais jovem [...] sem muitos fios grisalhos na cabeleira escura, razoavelmente longa e ainda espessa, e com uma barba pontuda. Usava uma espécie de jaqueta marrom, com toda evidência talhada pelos melhores alfaiates, mas já surrada [...] a camisa, a longa gravata, se assemelhando a um cachecol, tudo era exatamente o que um cavalheiro elegante vestiria, mas, a um exame mais atento, a camisa estava meio suja e o cachecol, já esfarrapado." O Diabo não está satisfeito com sua missão. Ele se sente desalentado com essa existência fantasmagórica. O que realmente gostaria era de encarnar, final e irrevogavelmente, como

132 SETE TIPOS DE ATEÍSMO

ser humano — de preferência, "uma mulher de comerciante, gorda, pesando 110 quilos, e acreditar em tudo em que ela acredita". Quando Ivã lhe pergunta se existe um Deus, o Diabo responde: "Simplesmente não sei." Se o Diabo tem uma filosofia, é a filosofia de Kirillov:

> Na minha opinião, não há motivo para destruir nada, precisamos apenas destruir a ideia de Deus na humanidade [...]. O homem, com sua vontade e a ciência já sem peias, se sobrepondo à natureza a cada hora, vai assim experimentar uma felicidade tão grande que substituirá nele toda expectativa de uma felicidade celestial. Cada um se saberá absolutamente mortal, sem ressurreição, e vai aceitar a morte calma e rigorosamente, como um deus [...]. Adorável![30]

Esse céu na terra jamais se concretizará, naturalmente. Entretanto, prossegue o Diabo, se não existe Deus nem imortalidade, qualquer um que conheça a verdade "poderá resolver as coisas por si mesmo, exatamente como desejar, com base em novos princípios. Neste sentido, 'tudo lhe é permitido'". Todo aquele que for capaz de viver segundo esse preceito se torna um homem-deus, ainda que nunca advenha um novo mundo. A filosofia de Kirillov, porém, deixa uma pergunta sem resposta: se tudo é permitido, por que um ser humano divino haveria de se preocupar com o restante da humanidade? O inquisidor acredita que a humanidade pode ser curada da infelicidade se abrir mão do impulso de rebelião. Sua tarefa é garantir que essa renúncia se concretize e consolide, mas por que o inquisidor sacrificaria sua própria felicidade a bem da humanidade? Afinal, será que a crença de estar redimindo a humanidade afinal proporciona felicidade?

Dostoievski não respondeu a nenhuma dessas perguntas, mas aparentemente acreditava mais na infelicidade humana do que em qualquer outra coisa. Seu intérprete mais penetrante, o autor religioso Lev Shestov, um judeu russo, cuja filosofia fideísta é discutida no capítulo 7, o considerava "o maior artista da miséria humana".[31] À parte a epifania por que passou diante do pelotão de fuzilamento, Dostoievski teve uma vida de quase constante infelicidade. Empreendeu uma longa e vã luta contra o vício do jogo, vivi-

OS QUE ODEIAM DEUS 133

damente retratado na novela *O jogador* (1866), escrita por sinal para saldar dívidas contraídas na roleta, e sua mulher e sua família, em consequência, sofreram terrivelmente. Era um infeliz crônico, e espalhava infelicidade ao seu redor. A "crueldade" detectada em suas obras pode ter sido resultado de um masoquismo permeado de culpa.

A rejeição da teodiceia está no cerne da obra de Dostoievski. Em sua conversa com Alyosha, diz Ivã:

— Não se pode viver na rebelião, e eu quero viver. Diga sem rodeios, eu lhe peço que me responda: imagine que estivesse erguendo você mesmo o edifício do destino humano, com o objetivo final de tornar as pessoas felizes, dar-lhes paz e descanso, mas que tivesse inevitavelmente de torturar apenas uma ínfima criatura, aquela mesma criança que batia no peito com seu punhozinho, para erguer seu edifício sobre o alicerce das suas lágrimas ignoradas: concordaria em ser o arquiteto em tais condições? Diga-me a verdade.

— Não, não concordaria — respondeu Alyosha, baixinho.[32]

O escritor russo Vasily Rozanov (que foi casado com uma antiga amante de Dostoievski, a escritora Polina Suslova) observou em um dos primeiros livros de análise da história do Grande Inquisidor, publicado em 1891, que esse trecho repete quase palavra por palavra uma passagem do *Diário de um escritor* de Dostoievski.[33] Quando Ivã declara que quer devolver a entrada, está falando pelo próprio Dostoievski. Ivã queria ser ateu, ao passo que Dostoievski queria ser cristão. Como seu personagem, contudo, o autor se rebelava contra toda ordem do mundo, fosse criada por Deus ou não.

WILLIAM EMPSON: DEUS COMO COMANDANTE DE BELSEN

"A principal coisa que senti ter aprendido, depois de tentar encarar a ética de um modo fundamental, é que, com sua constante publicidade do martírio, o que os cristãos cultuam é literalmente o Diabo."[34] Foi essa a conclusão de William Empson no capítulo que dedicou ao cristianismo em *O Deus de Milton* (publicado em 1961), um dos grandes livros de crítica em língua inglesa. Produto de uma inteligência altamente original e penetrante, a avaliação de Empson é reveladora como expressão da confusão da mente humanista secular.

Nascido em 1906, Empson teve uma vida interessante. Em 1925, tendo sido educado no Winchester College, ele ganhou uma bolsa de estudos para o Magdalene College, em Cambridge, onde estudou matemática e depois inglês. Seria expulso em 1929, quando um dos porteiros da faculdade encontrou preservativos em seu quarto, e seu nome foi retirado dos registros da instituição. Descartada toda perspectiva de um cargo na vida acadêmica, ele contemplou a hipótese de se tornar jornalista ou servidor público. Mas seu tutor, I. A. Richards, estimulou-o a se candidatar a funções no leste asiático, e em 1931 ele assumiu um cargo em uma escola normal no Japão. Durante alguns anos, ensinou na China, basicamente de cor, por falta de livros, dormindo em um quadro-negro quando sua universidade foi obrigada a se mudar para Kunming, durante o cerco japonês de Pequim. No fim da década de 1930, ele desfrutava de prestígio nos círculos literários londrinos — seu livro mais conhecido, *Sete tipos de ambiguidade*, escrito quando tinha apenas 22 anos, foi publicado em 1930, e em 1935 saiu uma coletânea de poemas — mas ainda encontrava dificuldades de subsistência. Durante a Segunda Guerra Mundial, trabalhou na BBC ao lado de George Orwell e do poeta Louis MacNeice.

Voltando à China em 1947 para ensinar em Pequim, Empson conheceu os tumultuados anos que antecederam e sucederam à chegada de Mao ao poder, partindo só quando as exigências ideológicas do regime se tornaram intoleravelmente repressivas. Deu prosseguimento a sua carreira acadêmica no Kenyon College, Ohio, e depois na Universidade de Sheffield, onde foi nomeado chefe do Departamento de Língua Inglesa em 1953 e permaneceu até se aposentar em 1972. Ele desprezava o jargão acadêmico, escrevendo em um estilo leve e ágil. Amigo da bebida e aparentemente boêmio — T. S. Eliot, admirador do seu brilhantismo e apreciador da sua companhia, comentava seu desmazelo —, ele vivia em um permanente estado de desordem excêntrica, que o poeta Robert Lowell considerava dotado de uma "nobreza estranha, sórdida". Era ativamente bissexual, tendo casado com Hetta Crouse, escultora de mente livre nascida na África do Sul com quem mantinha uma relação aberta, às vezes turbulenta, mas aparentemente nunca destituída de afeto.

Os últimos anos de Empson foram menos interessantes. Suas posições políticas refletiam a estupidez arrogante que caracterizava então e continua a caracterizar os acadêmicos — a título de exemplo, ele continuou a considerar o regime de Mao uma força libertadora muito depois de ficar inequivocamente clara a repressão que praticava —, embora se demarcasse da ortodoxia intelectual ao se aproximar da monarquia britânica. Em 1979, foi consagrado cavaleiro do império britânico e homenageado com um título honorário pela faculdade, que um século antes apagara seu nome dos registros. Faleceu em 1984.

Embora não se expresse com frequência com tal ênfase, o misoteísmo de que Empson era possuído está por trás de boa parte do pensamento ateu moderno. Ele considerava o Deus cristão como mal. "Parece-me que a única paixão que cabe é o frio horror diante da 'justiça' de Deus, como se fosse um comandante de Belsen."[35] Em outra passagem, ele escreveu que o Deus cristão "se parece incrivelmente com o tio Joe Stalin; a mesma paciência por trás da aparência de aspereza, os mesmos rompantes de jovialidade, a mesma absoluta falta de escrúpulos, a mesma real irascibilidade". Dar a entender que o maior defeito de Stalin era a irascibilidade não deixa de ser curioso, mas que seja. Não resta dúvida quanto à maneira como Empson encarava o Deus cristão: "O Deus Pai cristão", escreveu, "o Deus de Tertuliano, Agostinho e Tomás de Aquino é a coisa mais perversa jamais inventada pelo escuro coração do homem".[36]

É uma declaração dramática, mas onde Empson foi buscar essa ideia do mal? Ele tinha consciência de um problema: "Reconheço que minha posição sobre a ética é por demais indefinida."[37] Na verdade, sua posição não era tanto indefinida, mas incoerente. Escreveu ele: "Ainda me inclino para a teoria de Bentham em voga quando eu era estudante em Cambridge: que a satisfação de um impulso é em si mesma um bem elementar, e que a questão prática consiste apenas em saber como satisfazer o maior número deles."[38] Mas ele reconhecia que existe "uma objeção básica à teoria": "A satisfação de um impulso para infligir dor a outra pessoa deve contemplar o direito democrático de reciprocidade." Fica parecendo que querer infligir dor a alguém só está errado se a outra pessoa não for capaz de infligir dor semelhante. Mas Empson logo trata de acrescentar que "essa satisfação é um mal elementar [...] um objeto notável, contendo o único mal inerente ou metafísico do mundo".

Aqui, Empson se distanciava de Jeremy Bentham, segundo quem a satisfação decorrente do ato de causar dor não era em princípio menos valiosa que qualquer outra. O impulso da crueldade não era um "mal metafísico". Se precisava ser contido — como reconhecia Bentham —, não era por ser mau em si mesmo, mas porque tendia a reduzir a soma total de satisfação no mundo. Se fosse possível encontrar meios de gratificar o impulso ao mesmo tempo afastando esse risco, não haveria nada de errado com a crueldade. A satisfação decorrente do ato de infligir dor era um bem elementar como qualquer outro.

Ao assumir essa posição, Bentham mostrava o quanto se afastara dos valores cristãos. Ao contrário de seu seguidor John Stuart Mill, ele não se preocupava em distinguir entre prazeres superiores e inferiores. Nenhum prazer — nem mesmo o prazer da crueldade — era intrinsecamente ruim. Bentham não tinha uma concessão do mal, e a este respeito retornou aos valores do mundo greco-romano pré-cristão. Não há qualquer indicação de que o público romano sentisse estar se entregando a um prazer perverso quando assistia aos gladiadores se matando na arena. O espetáculo entretinha, justificava-se por si mesmo. A ideia de que a crueldade fosse "o único mal inerente ou metafísico do mundo", que Empson e outros humanistas transformaram na base de uma moral secular, não lhes ocorria.

Ao invocar uma ideia de mal metafísico, Empson mostrava que continuava apegado a uma visão de mundo cristã. O politeísmo greco-romano tinha deuses perversos, mas nenhuma ideia de que o mundo fosse um lugar de conflito entre forças do bem e do mal. Não encontramos nenhuma concepção do mal como uma força ativa na Bíblia hebraica, na qual Satã aparece como mensageiro de Deus, e não como encarnação da malignidade. No mito do Gênesis, a serpente é considerada satânica apenas no Novo Testamento. Um problema do mal é postulado no Livro de Jó, mas tem a ver com a necessidade de saber por que as pessoas boas sofrem, não envolvendo qualquer força ativamente maligna. As visões dualistas em que o mundo é um campo de batalha entre forças do bem e do mal se originam na religião persa do zoroastrismo, que contribuiu para a formação do maniqueísmo, a fé original de Santo Agostinho, tendo, portanto, informado também o cristianismo. Na época medieval, o dualismo se manifestou em movimentos como o catarismo, cujos adeptos, sob a influência do gnosticismo, acreditavam que o mundo visível tivesse sido criado e fosse governado por Satã.[39]

No cristianismo, o problema do mal é insolúvel. O ateísmo evangélico enfrenta dificuldade semelhante. Se a religião é um mal, por que a humanidade se apega tanto a ela? Ou a humanidade é que seria um mal? Empson nunca enfrentou essas questões. Sua interpretação do cristianismo é unilateral, e até mesmo monomaníaca. Seus alvos eram aqueles a que se referia como "neocristãos": humanistas liberais que não admitiam o quanto o cristianismo de fato era moralmente repugnante. Ele não reconhecia o quanto ele próprio era um neocristão.

Ele chegou a seu julgamento condenatório do Deus cristão ao considerar o céu cristão. Deus havia se martirizado até a morte (na pessoa de seu filho) para redimir a humanidade de uma condição pecaminosa; mas era uma condição para a qual havia atraído Adão e Eva no Jardim do Éden. Pior ainda, Deus determinara tormentos eternos para quem quer que não acreditasse nessa terrível história. E pior de tudo: o Deus cristão tornara os crentes cúmplices desse esquema ao recompensá-los com um espetáculo de eterno martírio.

Empson cita São Tomás de Aquino: "Aos abençoados não deve ser negado nada que pertença à perfeição da sua beatitude [...]. Portanto, para que a felicidade dos santos lhes seja mais deleitável, e mais abundantes graças rendam a Deus por ela, eles são autorizados a ver perfeitamente os sofrimentos dos amaldiçoados".[40] Nada é tão parecido com o céu descrito por Tomás de Aquino quanto um campo de concentração nazista:

138   SETE TIPOS DE ATEÍSMO

Os sobreviventes dos campos de concentração nazistas são unânimes em afirmar que a técnica mais poderosa neles usada para a destruição da consciência e da personalidade humanas era de natureza mais sutil do que se poderia esperar em um contexto tão brutal; cada um dos prisioneiros famintos e atormentados era tentado, pela oferta de alívios muito pequenos, a se alternar na tortura dos companheiros. À parte o fato de não ser oferecida nenhuma atividade aos abençoados, é isso que os cristãos têm de encarar como Céu [...].[41]

Uma vez visto com clareza, "o Deus cristão se torna manifestamente mau". Por que esse Deus construiu um sistema cósmico de tortura? "O único motivo inteligível é de natureza sádica", responde Empson.[42] Mas como essa visão sádica conseguiu se impor a tantos povos durante tantos séculos? A resposta de Empson é que o cristianismo estimulava "comportar-se mal com o sexo das pessoas", "uma maneira popular de os cristãos agradarem ao seu Deus".[43] Mas por que esse movimento popular teria se disseminado tanto e durado tanto tempo? Os cristãos sofreram lavagem cerebral: "A 'lavagem cerebral' não é uma invenção científica, e Hitler não teve oportunidade de usar 'a técnica da maior mentira' tão grandiosamente quanto os cristãos, já que eles cultuam como fonte de toda bondade um Deus que — bastando que tomemos conhecimento da história básica a seu respeito — com toda evidência é o Diabo."[44] Aqui, Empson repete uma acusação bem conhecida do Iluminismo, segundo a qual os erros e vícios do cristianismo foram impostos à humanidade pelas maquinações de uns poucos iníquos.

Não obstante a referência ao "escuro coração do homem", Empson considerava a crueldade repugnante ao "gosto não estragado" dos seres humanos.[45] A bondade é a condição humana natural. O sadismo, escreveu ele, é "uma perversão sexual estranha e chocantemente à vontade na psique humana, mas muito difícil de ensinar sem interferir no sexo normal [...] é possível contar com o fogo do sexo insatisfeito para atiçar o fogo do Inferno".[46] A implicação é que os prazeres da crueldade não seriam atraentes para grande quantidade de seres humanos se eles não tivessem sido corrompidos pelo cristianismo.

OS QUE ODEIAM DEUS 139

Essa ideia é desmentida pelo exemplo, citado pelo próprio Empson, dos astecas, cujo modo de vida se baseava em espetáculos de sacrifício humano. Ele escreve que existem "indícios de certa irmandade" entre suas práticas e o cristianismo. Mas os astecas não podiam ter adquirido o gosto da crueldade no cristianismo, que lhes era desconhecido até que os conquistadores cristãos destruíssem seu modo de vida e sua religião.[47]

Se olharmos além da polêmica cristã e anticristã, não precisaremos invocar a religião para explicar a crueldade. Como a bondade, ela faz parte da condição humana. Uma questão mais interessante é entender por que a crueldade passou a ser considerada o supremo vício — a única coisa no mundo, segundo Empson, que é intrinsecamente má. Em um universo sem Deus, como pode algo ser "metafisicamente mau"? No sentido de maldade, o mal de alguma forma é ação. Mas, se esse agente não existe, então — como admitia Leopardi — não existe um problema do mal.

Enfrentando essa dificuldade insuperável, Empson acabou abraçando algo parecido com o gnosticismo. O Deus que governava o mundo no cristianismo era, na verdade, o Diabo. Quando Eva comeu a maçã na história do Gênesis — na qual, na opinião de Empson, ela é a verdadeira heroína —, estava generosamente aceitando uma promessa feita falsamente por Deus. Da mesma forma, foi Deus que gerou Satã, para que se rebelasse. Empson apresenta o Satã de Milton com certa simpatia, observando que ele recua quando "deve cometer seu primeiro ato realmente iníquo, ou seja, mau...".[48]

Satã sabe que, obedecendo a Deus, está fazendo o mal. Em uma passagem famosa, ele declara:

Seja tu o mal, meu Bem [...]
Ai de mim, mal sabem eles
Como me submeto zeloso à inútil vanglória,
Sob que tormentos suspiro intimamente:
Enquanto eles [os discípulos de Satã] me adoram no Trono do Inferno
Com Diadema e Cetro ostentados
Mais baixo ainda eu caio, supremo apenas
na miséria [...].[49]

O Satã de Empson é um rebelde nobre, condenado a se revoltar contra um Deus que cultua e ao mesmo tempo despreza. Seu orgulho diabólico é uma performance teatral. A realidade é uma desesperadora submissão. E foi Deus que pôs Satã nessa posição desesperada. O Diabo é um ator em um teatro de crueldade. Todo o drama cristão é uma cruel piada. Mas e se a ideia de que a crueldade é o supremo mal fosse ela própria uma herança do cristianismo?

Empson reconhecia que as religiões abrigam correntes conflitantes de pensamento e sentimento. E explorou isso em um volume magistral sobre a arte budista, que ficou perdido durante quase sessenta anos. O livro teve origem na cidade histórica japonesa de Nara, onde ele ficou "pasmo", na primavera de 1932, com três estátuas, entre elas a Kudara Kannon, uma peça do século XVII que se encontra no templo de Horyuji, representando o bodisatva da Misericórdia. Elas o fascinaram porque os perfis esquerdo e direito de cada estátua pareciam revelar expressões assimétricas: "A perplexidade e o bom humor do rosto estão do lado esquerdo, e também a maternidade e o sorriso triste mas amável. A direita é a divindade; uma inocência e vivacidade de pássaro; inalterável em sua ironia, infatigável nas boas obras; desinteressada da humanidade, ou por sinal de si mesma [...] uma obra maravilhosamente sutil e delicada."

Encantado com essas imagens, Empson viajou muito nos anos subsequentes, visitando o Sudeste Asiático, a Coreia, a China, o Ceilão, a Birmânia e a Índia, e acabando nas grutas de Ajanta, uma das fontes da arte budista maaiana. *O rosto de Buda*[50] foi escrito durante essas peregrinações.

Empson não fez uma cópia do manuscrito, que acabou se perdendo por uma série de contratempos. Ao iniciar em 1947 uma série de viagens ao exterior, ele deixou o manuscrito aos cuidados de John Davenport, amigo de família e crítico literário. Mas Davenport, muito dado à bebida, o perdeu, e em 1952 disse a Empson que o havia deixado em um táxi. Davenport, no entanto, se confundira. Na verdade, ele entregara o texto ao poeta tamil M. J. T. Tambimuttu, que provavelmente o guardou entre as pilhas de livros que enchiam seu apartamento infestado de ratos. Ao retornar ao Ceilão em 1949, Tambimuttu passou o manuscrito de Empson a Richard Marsh, um dos editores de *Poetry London*, periódico fundado

OS QUE ODEIAM DEUS 141

por Tambimuttu. Marsh morreu pouco depois e seus papéis mofaram no esquecimento até 2003, quando foram adquiridos pelo Museu Britânico. Dois anos depois, um curador se deparou com o manuscrito e falou da descoberta aos descendentes do autor.

Empson se interessou pelo budismo a vida inteira. Quando trabalhava no Departamento do Extremo Oriente da BBC, ele escreveu o esboço de um balé, *O elefante e os pássaros*, baseado em uma história do Buda em sua encarnação como elefante, encontrada nas escrituras budistas. Seu perene fascínio pelo Buda é evidente em "O sermão do fogo", uma tradução do famoso sermão de Buda por ele usada como epígrafe em sucessivas edições dos seus poemas reunidos.[51]

Como as imagens de Buda que tanto amava, a atitude de Empson em relação ao budismo era assimétrica. Ele via no budismo uma alternativa à visão de mundo ocidental moderna, na qual a satisfação dos próprios desejos é o principal ou o único objetivo na vida. Considerava que, ao afirmar o caráter doloroso da existência — seja terrena ou celestial —, o budismo negava ainda mais a vida que o cristianismo, nesse sentido sendo pior que ele. Mas também acreditava que o budismo na prática se mostrara mais capaz de valorizar a vida. O budismo era um paradoxo — uma aparente contradição que continha uma verdade vital.

O que Empson admirava na arte budista era a capacidade de conciliar valores conflitantes. "É possível", escreve ele em *Palavras complexas*, "que a mente humana seja capaz de reconhecer valores verdadeiramente incomensuráveis, e que o principal valor humano se destaque entre eles".[52] A imagem do Buda de Nara corporificava essa postura. Em vez de tentar conter valores conflitantes em um ideal de perfeição, como fizera o cristianismo, a imagem budista fundia esses conflitos em um todo paradoxal. Abordando uma forma de arte e religião inicialmente estranha, Empson encontrou um ponto de equilíbrio entre valores e emoções cujos conflitos são universais.

Ele não foi capaz de ver de que maneira encontrar um equilíbrio semelhante entre valores conflitantes na religião cristã. O cristianismo inventou um Deus sofredor; uma visão cruel. Mas, ao apresentar um Deus que sofre, o cristianismo também pode ter tornado a crueldade pecaminosa.

142 SETE TIPOS DE ATEÍSMO

Se o universo cristão é uma vasta câmara de tortura, também é um universo em que o sofrimento humano tem significado moral. No mundo antigo dos gregos e romanos, o sofrimento podia ser obra dos deuses; mas os deuses eram arbitrários e caprichosos. O cristianismo atendeu a uma necessidade que o antigo politeísmo não podia satisfazer: conferiu significado e valor ao sofrimento. Ao tirá-lo do reino do acaso cego, o cristianismo impôs uma responsabilidade àqueles que o infligiam.

O gênio de Empson foi reconhecer a irredutível pluralidade do significado e do valor na língua e na arte. Ele via essa pluralidade nas expressões contraditórias do Buda. Estava próximo demais do cristianismo para vê-la nele também. Assim como Nietzsche, ele rejeitava a religião cristã porque ela humilhava a humanidade. Não aceitava a ideia de que os seres humanos precisassem de redenção: "Expressões como 'redenção', por mais que indubitavelmente mergulhem fundo na experiência humana", escreveu, indignado, "são metáforas extraídas do mercado de escravos".[53] Em outras palavras, o cristianismo negava a liberdade humana. Mas a liberdade invocada por Empson contra o cristianismo era uma criação judaica e cristã. Observou o escritor ortodoxo russo Nikolai Berdyaev: "A ideia da Queda é no fundo uma ideia orgulhosa, e por meio dela o homem escapa do sentimento de humilhação. Se o homem caiu da companhia de Deus, deve ter sido uma criatura elevada, dotada de grande liberdade e poder."[54]

Empson foi até o fim um neocristão. Só alguém tão imbuído do cristianismo quanto Milton podia ter imaginado o Diabo como uma figura nobre. Ao tomar partido do Diabo, Empson estava reencenando um drama cristão.

6. Ateísmo sem progresso

GEORGE SANTAYANA, UM ATEU QUE AMAVA A RELIGIÃO

Relatando uma conversa que teve com George Santayana ao visitar o velho filósofo em Roma, o romancista e ensaísta americano Gore Vidal lembrava ter ficado muito desconcertado com seu perverso distanciamento do mundo humano:

> Mesmo aos 85, os claros olhos negros brilhavam com a luminosidade e a força da obsidiana. Quando eu lhe disse, no meu desespero juvenil, que o mundo nunca estivera em um estado tão terrível, Santayana não podia ter-se mostrado mais enérgico, ou assustador. "A minha vida se passou em um período de paz e segurança mais longo que o de praticamente qualquer um que eu possa imaginar no passado europeu." Quando falei, com horror e repulsa, da possibilidade de que a Itália... a *Bella Italia*... se tornasse comunista nas eleições do mês seguinte, Santayana pareceu francamente se regozijar. "Ó, deixe-os! Deixe que tentem! Já tentaram de tudo, por que não o comunismo? Afinal, quem sabe que novas lealdades não se manifestarão quando fizerem parte de uma alcateia?" Fiquei indignado e revoltado com seu sangue-frio, seu cinismo.[1]

Vinda de um admirador de Santayana e alguém que não se chocava facilmente, é uma confissão digna de nota. Mas ninguém que tivesse lido Santayana com atenção poderia surpreender-se com sua atitude em relação aos acontecimentos de sua época. Um dos pouquíssimos filósofos que de fato viveram de acordo com seu declarado ideal de uma boa vida, Santayana seguia os antigos sábios Epicuro e Lucrécio em busca do distanciamento em relação ao mundo. A procura por tranquilidade parece ter sido uma paixão dominante ao longo de sua vida.

Nascido em Madri em 1863 e tendo passado os primeiros anos de vida na cidade espanhola de Ávila, Santayana foi educado em Boston, depois que os pais se mudaram para os Estados Unidos. Formou-se em Harvard e lá lecionou por mais de vinte anos, atraindo alunos como T. S. Eliot e Gertrude Stein e fazendo amigos e admiradores como o poeta Wallace Stevens. Entre seus contemporâneos no Departamento de Filosofia estava William James, um crítico hostil que se referia à filosofia de Santayana como "a perfeita podridão".

Santayana nunca considerou a filosofia acadêmica sua vocação. Tendo recebido uma pequena herança, ele deixou Harvard e os Estados Unidos em 1912, cinco anos depois de ser nomeado professor titular, para viver como intelectual independente na Europa. Apesar de muitas ofertas, nunca retornou a Harvard nem aos Estados Unidos. Deu indício da opinião que tinha sobre os filósofos acadêmicos ao se desligar quando seguiu a convenção estabelecida em Harvard de doar livros ao departamento. Escritos pelos colegas, eles eram impressos na época com as páginas não cortadas umas das outras. Quando Santayana os devolveu, eles ainda estavam com as páginas presas. Nenhum dos livros tinha sido lido. A mensagem de Santayana era óbvia. Nos quarenta anos que se seguiram à sua partida, seus escritos seriam de estilo deliberadamente antiacadêmico: refinados e brilhantes, cheios de aforismos, dirigindo-se ao leitor não profissional em tom de conversa, sem nada deixar transparecer da vida ou das emoções do autor.

Santayana era intransigente quanto ao estilo de vida que queria levar. Entre as instituições acadêmicas, sentia-se melhor em Oxford, onde viveu durante a Primeira Guerra Mundial. Mas recusou uma oferta de parceria permanente no Corpus Christi College intermediada pelo poeta Robert Bridges, embora o cargo não implicasse atividades de ensino nem administrativas. Ele temia que o confinamento em uma instituição acadêmica limitasse sua liberdade intelectual. Essa necessidade de independência também ditava os termos de sua vida pessoal. Ele costuma ser considerado um homossexual celibatário, e, embora não tenhamos como saber até que ponto esse celibato foi observado ou não, o fato é que ele nunca teve um parceiro. Seu biógrafo John McCormick cita uma passagem em que ele celebra a paixão sexual: "O amor sincero nada tem de perturbador; é saudável, alegre e prazeroso; ou então, se sobrevier um estado de ânimo em que ele seja encarado com certo distanciamento, como uma performance estranha, ainda assim deixa uma ressonância de riso e afeto." McCormick comenta: "Esta é com certeza a filosofia de um amante, e não de um celibatário virginal."[2] No entanto, não temos indícios de que Santayana tivesse se permitido apaixonar. Ele pode ter tomado conscientemente a decisão de abrir mão da experiência a bem de sua paz de espírito. Com isso, teria reconhecido que a felicidade tem um custo. Em uma passagem autobiográfica escrita no fim da vida, ele dizia:

> O espírito é uma emanação da vida, e é mais verdadeira e naturalmente feliz nas primeiras fases da sua carreira que em sua salvação final. No fim, quando entendeu tudo e a tudo renunciou, só pode responder como La Vallière quando os amigos perguntaram se era feliz no convento de carmelitas no qual havia se retirado: *Je ne suis pas heureuse: je suis contente* [Eu não sou feliz: estou contente].[3]

Louise de La Vallière (1644-1710), ex-amante de Luís XIV, encontrou a tranquilidade no fim da vida retirando-se em um convento. Santayana pode ter encontrado esse contentamento no Convento das Monjas Azuis, uma casa de repouso administrada em Roma pela Pequena Companhia de Maria (conhecidas como Monjas Azuis por causa da cor de seus hábitos), o lugar onde decidiu passar os últimos anos de sua longa vida. Ele viveu no convento de 1941 até morrer, em setembro de 1952.

Econômico em Harvard, ele levou uma vida de elegante fartura depois de se mudar para a Europa. Vestido por um alfaiate de primeira, elegante no estilo, ele gostava de boas companhias, boa cozinha e ambientes luxuosos. Abriu mão de tudo isso em troca de paz e tranquilidade. Recebia os que o procuravam — provavelmente com maior frequência do que gostaria — de pijama e roupão. "Cama, livros, cadeira, freiras passando" — como Wallace Stevens descreveu a vida do amigo em seu poema *A um velho filósofo em Roma* — lhe bastavam.

Santayana tinha alcançado a segurança financeira com um romance que escrevera, *O último puritano* (1935), best-seller nos Estados Unidos. Abriu mão de boa parte do dinheiro, inclusive uma substancial doação anônima a Bertrand Russell, que considerava "um importante matemático, filósofo, militante pacifista, homem de inteligência e mártir, mas infelizmente viciado em casar e divorciar sem sensatez e com demasiada frequência".[4] Em seu testamento, legou bens a parentes e ao jovem americano Daniel Cory, que fora seu assistente durante muitos anos e se tornara seu executor literário, mas nada deixou para as Monjas Azuis. Dois dias antes de morrer, perguntado se sentia dores, respondeu: "Sim, meu amigo, mas minha aflição é totalmente física; não há qualquer tipo de dificuldade moral."[5]

À parte a firme solicitação de que suas cinzas não fossem levadas para os Estados Unidos, Santayana não deixou instruções quanto aos restos mortais, e surgiu a questão de saber onde esse intransigente ateu seria enterrado. No fim, como ele preservara a cidadania espanhola, o consulado em Roma providenciou seu enterro em um túmulo reservado a espanhóis no Cemitério de Campo Verano.

Não houve qualquer indício de alguma crença durante a vida de Santayana no convento. "Meu ateísmo, como o de Spinoza", escreveu ele, "é uma autêntica devoção ao universo, negando apenas deuses moldados pelos homens à própria imagem, para servirem aos interesses humanos".[6] Ao se comparar ao filósofo judeu setecentista Benedict Spinoza, que será discutido no próximo capítulo, Santayana invocava um pensador que admirava muito. Spinoza considerava a religião revelada obra da imaginação humana, assim

ATEÍSMO SEM PROGRESSO

como Santayana. Ao contrário dele, porém, considerava que continha uma verdade que não podia ser transmitida de nenhuma outra forma.

Santayana se declarava discípulo de Lucrécio, mas era o materialismo do poeta romano que admirava, e não sua rejeição da religião. A espiritualidade epicurista, escreveu Santayana, estava "tateando, tímida e triste". Ele achava que Epicuro se preocupava demais em evitar a dor, estendendo essa crítica a seu discípulo mais famoso: "Em Lucrécio, a noção do que positivamente vale a pena ou pode ser alcançado é muito escassa: ser livre de superstições, com suficiente recurso às ciências naturais para garantir essa liberdade, amizade e alguns prazeres animais vulgares e saudáveis. Nada de amor, nem de patriotismo, nem de empreendimento, nem de religião."[7]

Negando que qualquer ordem encontrada no mundo fosse obra de um criador divino, Santayana pensava, como Lucrécio, que a Natureza é autossuficiente, muitas vezes referindo a si mesmo como materialista. O materialismo de Santayana, entretanto, é muito diferente do cultivado pelos materialistas franceses discutidos no capítulo anterior, que propugnavam o retorno a uma Natureza benigna, assim como do materialismo do marquês de Sade, que afirmava que a Natureza era má e destrutiva. Para Santayana, a Natureza é a energia criativa que gera tudo no mundo, inclusive a espécie humana e todas as suas obras. Arte e ciência, ética e política são naturais aos seres humanos, assim como a religião. No capítulo intitulado "Seria o naturalismo irreligioso?", em seu último livro, *Dominações e poderes* (1950), ele escreveu:

A questão é discutível porque as palavras de uso corrente têm muitos significados. Para um pagão, assim, o naturalismo está longe de ser ateu, pois encontra lugar para muitos deuses. Os judeus e os cristãos eram considerados ateus, pois não cultuavam os deuses reconhecidos pelo Estado [...]. Os hindus são politeístas, monoteístas e panteístas ao mesmo tempo; e os budistas, apesar de tecnicamente ateus, negando a existência de almas, são idealmente tão religiosos e espiritualizados que parece grotesco que um cristão moderno os taxe de ateísmo [...]. Seria o amor ao homem que provoca o ódio à religião? Não, é a insensibilidade ao drama do homem e a tudo aquilo que o homem mais profundamente ama.[8]

148 SETE TIPOS DE ATEÍSMO

A objeção de Santayana ao naturalismo moderno era ser ele implicitamente misantropo: "Por que deveríamos nos indignar com sonhos, com o mito, com a alegoria, com a loucura? Não devemos matar a mente, como fazem certos racionalistas, ao tentar curá-la." [9] Estranho naturalismo, este que quer expurgar apenas a religião da vida humana. Poucas coisas são mais naturais para os seres humanos que a religião.

É verdade que a religião gerou muito sofrimento, mas o mesmo se pode dizer do amor e da busca do conhecimento. Como eles, a religião é um elemento constituinte do ser humano. Nenhuma religião, porém, se adequa a todos. Qualquer tentativa de prescrever um modo universal de vida é equivocada. Em uma das últimas páginas de *Dominações e poderes*, Santayana frisou este ponto com ênfase particular:

> Com efeito, muitos filósofos e políticos nos dizem que já têm *a priori* um conhecimento adequado de quais são as necessidades e capacidades humanas, e que na verdade são idênticas para todos. Atribuem os contrastes e conflitos na sociedade, e em cada homem, à ausência ou deformação da educação. Todos os homens, dizem, *devem* considerar perfeitamente satisfatório o mesmo regime moral, político e científico, comunismo, ou democracia constitucional, ou a Única Verdadeira Religião. Se hesitam ou condenam todos esses regimes, *deve* ser porque ignoram os fatos e o seu verdadeiro bem.
>
> Eu acho que esses filósofos e políticos têm um bom conhecimento de si mesmos. São dogmáticos inatos e militantes congênitos. Mas essa disposição, ao mesmo tempo intolerante e constrangedora, deixa-os cegos para a verdadeira e radical diversidade entre os homens [...]. Eles dizem que somos todos superanimais, que caímos do céu ou estamos a ponto de criar um céu para nós mesmos na Terra.[10]

Santayana descartava qualquer ideia de que a civilização estivesse se aprimorando. Na medida em que fosse real, o progresso significava refinar modos específicos de vida: "O leitor não deve esperar que eu trace o destino da liberdade de modo histórico ou escatológico, como se tudo fosse

ATEÍSMO SEM PROGRESSO

progresso em direção à perfeição. Tudo neste mundo, do ponto de vista temporal, é um progresso em direção à morte. O verdadeiro progresso é uma aproximação, em épocas favoráveis, da perfeição em algum tipo de vida."[11] A ideia de que o universo fosse uma hierarquia tendo Deus ou a humanidade no alto era totalmente repudiada por Santayana. O progresso constante só é possível na tecnologia e nas artes mecânicas. Nesse sentido, o progresso pode na realidade se acelerar enquanto declina a qualidade da civilização:

> Todos sentimos neste momento a ambiguidade moral do progresso mecânico. Ele parece multiplicar as oportunidades, mas destrói a possibilidade de uma vida simples, rural ou independente. Prodigaliza-se em informações, mas acaba com a maestria, exceto em uma eficiência trivial ou mecânica. Aprendemos muitas línguas, mas degradamos a nossa própria. Nossa filosofia é altamente crítica e se considera esclarecida, mas é uma Babel de línguas artificiais que não se entendem.[12]

Em Santayana, a visão da religião decorre da sua crítica do progresso. A religião é natural para o animal humano, mas não qualquer tipo de religião. Ele deplorava o monoteísmo quando se mostrava militante e evangélico. O erro fundamental do cristianismo vinha do platonismo, que (para os cristãos que o adotavam) encarava o Bem como um poder no mundo. Tendo se identificado com esse poder, a Igreja inevitavelmente se tornou repressora da diversidade humana.

O platonismo, seguido nisto pelo cristianismo, estimulava uma ilusão a respeito da natureza do valor. Para Santayana, os valores eram necessidades animais transformadas em categorias abstratas e projetadas no cosmo. Muitas vezes criticado como relativista, ele não se envergonhava disso. "O valor é algo relativo", escreveu, "dignidade que qualquer coisa pode conquistar em vista do benefício ou da satisfação que proporcione a algum ser vivo".[13]

O que não significa que os valores humanos sejam questão de opinião. Embora sejam relativos, na medida em que refletem necessidades e circuns-

150 SETE TIPOS DE ATEÍSMO

tâncias, os julgamentos de valor muitas vezes se distanciam das realidades subjacentes. "O bom de modo algum é relativo à opinião, enraizando-se na natureza inconsciente e fatal dos seres vivos, uma natureza que determina para eles a diferença entre alimentos e venenos, felicidade e infelicidade." Nesse sentido, a ética é suscetível de erro. Mas os valores não podem ser considerados subjetivos, se isso significar que são independentes dos organismos vivos: "Os valores pressupõem que os seres vivos têm uma direção de desenvolvimento e nela se empenham, de tal maneira que o bem e o mal possam existir em referência a eles. O fato de o bem estar relacionado a naturezas concretas e simplesmente representar seu ideal inato, latente ou realizado é essencial para que realmente seja um bem."[14] Sem organismos valorativos não há valores. Santayana desenvolveu essa argumentação em uma devastadora crítica de Bertrand Russell, que durante muitos anos se sentiu atraído pelo platonismo na ética — a ideia de que os valores subsistem em algum reino imaterial ideal. Com grande honestidade, Russell aceitou a crítica de Santayana e abandonou o platonismo que por tanto tempo cultivara.[15]

Ao associar uma visão subjetiva do valor a um ideal de contemplação, Santayana fugia dos padrões. Quase todos aqueles que valorizavam a contemplação o faziam por acreditar (como Platão e o Russell dos primeiros tempos) em uma realidade superior à qual a contemplação daria acesso. Santayana não tinha essa crença. Apreciava a contemplação porque permitia uma visão lúcida do único mundo que existe: o mundo da matéria.

Qualquer um que contemple tal mundo, ponderava Santayana, encontra "essências" — sensações semelhantes às que vinham à memória do narrador do romance *Em busca do tempo perdido*, de Marcel Proust. Tomando chá com um pedaço de bolo nele embebido, o narrador de Proust sentia que "um prazer delicioso tomara conta dos meus sentidos, algo isolado, separado, sem qualquer indício de sua origem. E instantaneamente as vicissitudes da vida se tornavam indiferentes para mim, seus desastres, inócuos, sua brevidade, ilusória [...] eu deixara de me sentir medíocre, contingente, mortal".[16]

Santayana aparentemente teve uma experiência semelhante:

ATEÍSMO SEM PROGRESSO

uma mente esclarecida pelo ceticismo e curada do dogma barulhento, uma mente descartando toda e qualquer informação e livre da tormentosa ansiedade quanto a seu próprio destino e existência encontra na imensidão da essência uma solidão muito doce e maravilhosa. As supremas extensões da dúvida e da renúncia abrem para ela, em uma transição fácil, os campos da infinita variedade e paz, como se, passando pelas gargantas da morte, ela tivesse chegado a um paraíso em que todas as coisas se cristalizam na própria imagem, tendo perdido sua urgência e malignidade.[17]

Não encontramos aqui nenhuma indicação de que existam essências em algum reino superior. Elas são sensações momentâneas em mentes individuais, que por sua vez representam momentos nas transformações da matéria.

O próprio Santayana reconhecia que sua filosofia se assemelhava mais à escola hinduísta clássica do sanquia que a qualquer doutrina ocidental.[18] O sanquia se destaca no pensamento indiano pelo fato de considerar a matéria como real e independente da mente, e não uma ilusão criada por um espírito do mundo. Mas o materialismo de Santayana ia mais longe. O espírito era um flash no escuro, uma consciência transitória irrompendo na própria matéria, e não uma realidade metafísica separada.

Santayana compartilhava com a escola do sanquia o ponto de vista de que, em vez de se dissolver em alguma superalma ou espírito do mundo, a mente liberta seria um todo perfeitamente integrado. Descrevendo essa condição, Santayana faria uma nota gnóstica. Quando a mente se retira para dentro de si mesma, "todo o mundo natural é mantido à distância. Torna-se estranho. Só nos tocará e existirá moralmente para nós como cenas do nosso estranho exílio, e como representando a escuridão, as paixões, a confusão em que o espírito se vê mergulhado, e das quais, com infinita dificuldade e incerteza, espera ser libertado".[19]

Cabe duvidar se Santayana considerava essa libertação possível, senão como uma sensação passageira. Ele se deu conta de que o distanciamento que tanto apreciava podia ser destruído a qualquer momento pela fragilidade do corpo. De qualquer maneira, no entanto, o perseguia: "Pois depois de encerrada a vida, esvaindo-se o mundo em fumaça, que realidades pode o espírito de um homem jactar-se de ter abraçado sem ilusão, exceto as próprias formas das ilusões por que foi enganado?"[20]

A vida do espírito não se manifestava como um arrebatamento místico sobrenatural, decorrendo na verdade da desilusão com o mundo. Mas a desilusão se revelava libertadora, pois permitia uma visão do mundo de uma perspectiva que não esperava salvação na história: "O mundo não é respeitável; é mortal, atormentado, confuso, para sempre iludido; mas é permeado de beleza, amor, centelhas de coragem e riso; e nessas coisas o espírito floresce timidamente, esforçando-se na direção da luz em meio aos espinhos. Esta é a vida esvoaçante dessa coisa alada, o espírito, nessa velha, sórdida e maternal Terra."[21]

Santayana encontrava liberdade no fluxo sem deus da matéria do qual os místicos têm lutado por escapar. Um reino ideal modelado segundo os valores humanos não era lugar onde buscar a liberdade espiritual: "No fim das contas, um universo assim, flutuando como bolha no fluxo das coisas, quase certamente haveria de se dissolver. Não é lá que um coração esclarecido depositaria seu tesouro. O próprio dilúvio é um companheiro mais nobre, e o espírito se move com facilidade sobre as águas."[22]

JOSEPH CONRAD E O MAR SEM DEUS

Joseph Conrad costumava dizer que se tornou escritor por acaso, e o padrão apresentado pelos acontecimentos corrobora sua afirmativa. Entretanto, havia também uma necessidade íntima. Mais que qualquer outro fator, foram suas experiências no Congo que o impeliram a escrever. Elas o deixaram parcialmente inválido, dado a surtos de depressão pelo resto da vida, mas por outro lado o fizeram um escritor.

Quando perguntaram o que o levara a se tornar um escritor, dizem que ele ficou calado por alguns minutos e respondeu: "Bem, passei muito tempo em terra firme."[23] Havia aí alguma verdade. Quando ele passou a escrever profissionalmente em 1894, as condições estavam mudando na marinha mercante. O número de veleiros, que ele preferia aos vapores, es-

ATEÍSMO SEM PROGRESSO

tava diminuindo, e os remanescentes não estavam nas melhores condições. As tripulações dos vapores eram menores e mais bem-remuneradas, e o número de capitães de embarcação competindo pelos cargos havia aumentado. As habilidades aprendidas por Conrad em mais de vinte anos como marinheiro rapidamente se tornavam obsoletas. E de qualquer maneira sua atitude em relação à própria vocação era ambivalente. Ford Madox Ford, que o conhecia bem e colaborou com ele como escritor, chegou a dizer que Conrad detestava a vida no mar.[24]

A vida na marinha mercante era dura. As acomodações viviam superlotadas, não eram saudáveis, e a comida era terrível. As condições de trabalho eram arriscadas. Conrad se feriu em várias oportunidades e sobreviveu ao naufrágio de um navio em um bote aberto. Além desses perigos e privações, o emprego era irregular. Durante seus vinte anos como marinheiro, Conrad tentou sem êxito alcançar a independência financeira por meio de uma série de empreitadas especulativas, entre elas a caça de baleias, pilotagem no canal de Suez, pesca de pérolas na Austrália, ferrovias no Canadá e trabalhar para a marinha japonesa. No momento em que passou a escrever, começava a ser acometido de uma gota paralisante. Não poderia ter continuado como marinheiro.

Nascido em 1857 em uma família polonesa aristocrática da Ucrânia governada pelos czares, ele passou a infância nas províncias russas depois que seu pai foi exilado no interior por supostas atividades antirrussas. Contrariando a vontade da família, foi para a França trabalhar como camareiro de navio, acabando por chegar em 1886 a capitão de longo curso. Ao longo desse período, envolveu-se em contrabando de armas na Espanha e em uma tentativa de golpe promovida por um grupo católico que ambicionava o trono espanhol. Depois de seis meses no Congo comandando um navio de curso fluvial, jamais voltaria ao mar.

Quando finalmente deixou a vida de navegação, ele já escrevia há alguns anos, trabalhando naquele que viria a ser seu primeiro romance, *A loucura de Almayer*, iniciado em 1889 e publicado em 1895. Escrevia em inglês, sua terceira língua (sendo as outras o polonês e o francês). Era um estrangeiro na Inglaterra e, embora amasse o lugar, continuou sempre como um estranho no país. Numa carta a um amigo polonês, ele mesmo diria: "Homo duplex no meu caso tem mais de um significado."[25]

História menos conhecida que *O coração das trevas*, mas não menos forte na descrição do Congo, "Um posto avançado do progresso" zomba da arrogância dos colonialistas europeus que imaginavam estar levando liberdade aos selvagens:

> Poucos homens se dão conta de que sua vida, a própria essência do seu caráter, suas capacitações e audácias, não passam de expressão da sua crença na segurança do seu ambiente. A coragem, o controle, a confiança; as emoções e os princípios; cada pensamento grande e insignificante não pertencem ao indivíduo, e sim à multidão [...]. Mas o contato com a selvageria pura e absoluta, com a natureza primitiva e o homem primitivo, traz súbita e profunda perturbação ao coração.[26]

Conrad sofreu essa perturbação no Congo, quando se defrontou com a selvageria de uma cruzada pela civilização. Passou o resto de seus dias com a sensação de estar sozinho. A missão que abraçou como escritor foi comunicar o que vira aos seus leitores civilizados. Não acreditava que pudesse ganhar a vida com sua nova vocação — desconfiança que se revelou fundamentada, pois embora ganhasse grandes somas eventualmente, com frequência estava profundamente endividado. Tinha crises periódicas de bloqueio criativo e muitas vezes perdia as esperanças de algum dia voltar a escrever.

Conrad contou com o apoio da mulher, Jesse, para enfrentar essas dificuldades. Mas aparentemente precisava mais do que a vida em família era capaz de proporcionar, e em 1916-1917 teve um caso com a jornalista americana Jane Anderson.[27] Beldade exuberante bem conhecida na alta sociedade londrina, Anderson viria a se casar com um aristocrata espanhol, relatar jornalisticamente a Guerra Civil Espanhola pelo lado falangista, espionar para a Itália e o Japão, e fazer transmissões radiofônicas para os nazistas. Presa pelas autoridades militares americanas na Áustria no fim da guerra, foi acusada de traição mas libertada, desaparecendo depois. Acredita-

-se que viveu posteriormente na Espanha, mas não se conhecem o lugar e a data de sua morte. Anderson foi o modelo de Dona Rita, a heroína do romance *A flecha de ouro* (1919), de Conrad.

Conrad sofreu nos últimos anos de vida com problemas de saúde e dificuldades financeiras. Em maio de 1924, ao receber uma carta de aspecto oficial, presumiu que fosse uma cobrança de impostos devidos. Era a oferta de um título de nobreza, que ele recusou. Ao morrer de falência cardíaca em agosto daquele mesmo ano, teve um funeral católico, não obstante a frequência com que manifestara sua hostilidade à religião cristã. A cerimônia transcorreu durante um festival de críquete, tendo passado quase despercebida. Dois versos do poema *The Faerie Queene*, do autor seiscentista Edmund Spenser, usados por Conrad como epígrafe de seu último romance, *O nômade* (1923), foram entalhados em sua lápide no cemitério de Canterbury:

> Sono depois da labuta, porto depois da tormenta no mar,
> Calma depois da guerra, morte depois da vida muito prazer dão.

"Antes do Congo, eu não passava de um animal."[28] Na época em que Conrad viajou pela região, o Congo não era uma colônia do Estado belga, mas um feudo pessoal do rei Leopoldo. Em uma conferência internacional realizada em Bruxelas, em 1876, Leopoldo descreveu seu objetivo: "Abrir para a civilização a única área do nosso planeta em que ela ainda não penetrou, romper as trevas que pairam sobre raças inteiras constitui, se assim posso me expressar, uma Cruzada digna deste século de Progresso."[29] Na verdade, o território foi explorado com extraordinária brutalidade, sendo sua população humana usada como recurso descartável. Como registrou Conrad em um diário do seu período no Congo, cadáveres e ossos humanos eram encontrados sem túmulo pelo caminho. Escravos acorrentados tinham as mãos esmagadas com coronhas de fuzis e amputadas a título de punição. Quando não tinham mais utilidade, os trabalhadores eram enfileirados e abatidos com uma única bala. Trabalhadores doentes ou feridos eram atirados aos cães para serem devorados. Não se sabe ao certo até que ponto Conrad foi testemunha ocular desse tipo de coisa, mas o que viu bastou para afetá-lo pelo resto da vida.

156 SETE TIPOS DE ATEÍSMO

A reação de Conrad à experiência no Congo tem sido interpretada como rejeição a uma ideia vitoriana de progresso. Ele vira o suficiente do colonialismo na prática para duvidar de que fosse essencialmente civilizador. Sua resistência à ideia de progresso, porém, ia além da rejeição à específica visão de aprimoramento humano que Leopoldo e os que agiam em seu nome invocavam para justificar sua cobiça.

Conrad não podia levar a sério nenhuma visão do futuro que envolvesse uma transformação na natureza humana. Expressou sua incredulidade em muitas cartas — algumas, inclusive, dirigidas a Bertrand Russell. Vendo o caos na China, Russell buscava uma solução no "socialismo internacional". A reação de Conrad foi cáustica e definitiva. A visão de um futuro socialista sustentada por Russell era:

> o tipo de coisa a que não posso de forma alguma atribuir um significado definido. Nunca fui capaz de encontrar em livro de homem algum ou em fala de homem algum qualquer coisa que resistisse por um momento ao meu profundo sentimento de que este mundo habitado pelos homens é governado pela fatalidade. Afinal, trata-se apenas de um sistema, não muito obscuro nem muito plausível. Como mero devaneio, não é de muito boa qualidade [...]. Mas eu sei que você não esperaria que eu depositasse fé em *nenhum* sistema. O único remédio para os homens da China e para o resto de nós é uma mudança de atitude. No entanto, contemplando a história dos últimos 2 mil anos, não há muitos motivos para esperá-la, ainda que o homem tenha conseguido voar — uma grande "elevação", sem dúvida, mas sem significar grande mudança. Ele não voa como uma águia; voa como um besouro. E você terá notado como é feio, ridículo e insensato o voo de um besouro.[30]

Numa carta a seu amigo R. B. Cunninghame Graham, um aventureiro e socialista escocês, Conrad escreveu: "O homem é um animal perverso. Sua perversidade precisa ser organizada [...] a sociedade é essencialmente criminosa; caso contrário, não existiria."[31]

A impiedosa visão da sociedade em Conrad devia muito pouco à ideia cristã do pecado original. Ao longo da vida, ele considerou a religião

ATEÍSMO SEM PROGRESSO

cristã detestável — "uma absurda fábula oriental".[32] Na Nota do Autor de *A linha de sombra*, ele declarava sua rejeição da religião em termos categóricos: "tenho uma consciência por demais firme do maravilhoso para me fascinar com o meramente sobrenatural, que (interpretem como quiserem) não passa de um artigo manufaturado, fabricação de mentes insensíveis às profundas delicadezas da nossa relação com o que é morto e o que é vivo [...]."[33]

Para Conrad, os seres humanos eram parte do mundo natural. Ele não encarava a consciência como uma bênção sem nenhuma desvantagem. "O pensamento é o grande inimigo da perfeição. O hábito da reflexão profunda, sinto-me compelido a dizer, é o mais pernicioso de todos os hábitos desenvolvidos pelo homem civilizado."[34] Em outra carta a Cunninghame Graham, ele se referia aos seres humanos como seres conscientes aprisionados em um cosmo mecânico:

> Existe uma — digamos — máquina. Ela se formou (estou sendo rigorosamente científico) a partir de um caos de pedaços de ferro, e — vejam só! — ela tricota. Fico horrorizado com a terrível obra e consternado. Sinto que ela deveria bordar, mas ela continua tricotando [...]. E o pensamento mais devastador é que a abominável coisa se fez sozinha; se fez sem pensamento, sem consciência, sem presciência, sem coração. É um trágico acidente [...]. Ela nos tricota e nos destricota. Tricotou o tempo, o espaço, a dor, a morte, a corrupção, o desespero e todas as ilusões — e nada importa. Mas devo reconhecer que às vezes é divertido contemplar esse implacável processo.[35]

Mais adiante, escreveu ele:

> A máquina é mais leve que o ar e evanescente como um relâmpago [...]. O ardor pelas reformas, o aprimoramento, pela virtude, pelo conhecimento e até pela beleza não passa de uma busca em vão pelas aparências [...]. A vida não nos conhece e nós não conhecemos a vida — sequer conhecemos nossos próprios pensamentos [...]. A fé é um mito, e a crença muda como a névoa na praia.[36]

Longe de ser a consciência a suprema glória da humanidade, como proclamavam os humanistas na sua época e ainda proclamam hoje, é a autoconsciência que torna insolúvel a situação da humanidade:

> Sistemas poderiam ser construídos e regras poderiam ser estabelecidas — se pelo menos pudéssemos nos livrar da consciência. O que torna a humanidade trágica não é o fato de ser vítima da natureza, mas de ter consciência dela. Fazer parte do reino animal sob as condições da terra está muito bem, mas assim que sabemos da nossa escravidão, da dor, da raiva, do conflito, aí tem início a tragédia.[37]

Conrad explorou essa tragédia em *Vitória* (1915), o maior dos seus romances tardios. Com consumada ironia, ele faz do seu protagonista o filho errante de um aristocrata sueco desiludido do mundo, discípulo de Schopenhauer, cuja versão do ateísmo será discutida no próximo capítulo (e por cujos escritos o próprio Conrad foi muito influenciado). Schopenhauer considerava que, sendo a vida tão cheia de dor e sofrimento, a melhor atitude era o distanciamento. Aquele que se separasse do mundo humano e recusasse vínculos pessoais estreitos podia manter à distância o sofrimento da vida.

Influenciado por essa filosofia, Axel Heyst leva uma vida de vagabundo errante e acaba vivendo na companhia de um criado chinês em uma ilha do arquipélago da Malásia. Sua trajetória sai dos eixos quando ele conhece Lena, jovem inglesa infeliz que trabalha na orquestra de um hotel em Java. Sentindo pena dela, além de desejo, Heyst a ajuda a fugir e eles passam a viver juntos em sua ilha. A vida de Heyst vem a ser novamente perturbada quando uma gangue de bandidos aparece querendo roubar um tesouro que ele supostamente teria acumulado. Percebendo que Lena corre perigo, Heyst a ajuda a se esconder em um bangalô, mas ela é encontrada por um dos bandidos, que a fere mortalmente à bala. Heyst chega ao local e Lena lhe entrega uma faca para que se defenda. À beira da morte, pede-lhe uma manifestação de compromisso. Em uma "infernal desconfiança de toda vida",[38] Heyst é incapaz de manifestá-lo,

ATEÍSMO SEM PROGRESSO

mas Lena morre acreditando ter salvo a vida de alguém que a amava. Desesperado, Heyst ateia fogo ao bangalô e é encontrado morto junto ao corpo dela. A história termina com esta fala de um capitão de navio que conhecera Heyst: "Não havia nada a fazer aqui... Nada!" Concluindo a história de Heyst dessa maneira, Conrad podia estar fazendo eco às linhas finais da principal obra de Schopenhauer:

> reconhecemos livremente que o que permanece depois da total abolição da vontade é, para todo aquele que ainda está cheio de vontade, certamente nada. Mas inversamente, ao mesmo tempo, para aqueles nos quais a vontade se voltou e se negou, esse mundo muito real que é o nosso, com todos os seus sóis e galáxias, é — nada.[39]

Conrad costuma ser considerado um cético, mas seu ceticismo não era o dos filósofos que questionam a possibilidade do conhecimento. O que Conrad questionava era o *valor* do conhecimento. Como vimos, ele atribuía à consciência um valor dúbio. Compartilhava essa desconfiança com Bertrand Russell, que escreveu em 1888, em seu diário secreto de adolescente: "Gostaria mesmo de acreditar na vida eterna, pois me sinto infeliz pensando que o homem não passa de uma espécie de máquina dotada, infelizmente para ele, de consciência."[40] A ideia de que os seres humanos são "autômatos conscientes" fora ventilada em 1874 em uma conferência de T. H. Huxley, cuja visão da evolução e da ética foi discutida no capítulo 3.

Ao duvidar do valor da consciência, Conrad seguia uma ideia que estava no ar. Mas o que chama a atenção é o que ele fez com essa questão. Por meio do personagem de Heyst, Conrad pergunta se a ilusão não poderia valer mais a pena, do ponto de vista humano, que uma autoconsciência aguda que priva a vida de significado. Qualquer perspectiva de uma vida compensadora sem ilusões poderia ser ela própria uma ilusão.

Muito antes de escrever *Vitória*, Conrad investigara essas questões no personagem de Singleton, em *O negro do Narciso* (1897). Primeiro romance "inglês" de Conrad, por não se passar no Extremo Oriente, o

160 SETE TIPOS DE ATEÍSMO

livro não apresenta muitas peripécias. Contando a viagem de volta do *Narciso* de Bombaim a Londres, o narrador relata os perigos enfrentados pela tripulação na jornada, entre eles a inundação da embarcação ao tombar para um lado durante uma tempestade ao largo do cabo da Boa Esperança. Entre os personagens estão James Wait, marinheiro da ilha de São Cristóvão, nas Caraíbas, que é o "negro" do título, Donkin, um velhaco marinheiro cockney, e Singleton, "solitária relíquia de uma geração destruída e esquecida".

A ação está centrada em Wait, apresentado como um homem doente que inicialmente atrai a simpatia do restante da tripulação, mas passa a ser visto como um tirano que apenas se finge de incapacitado. Supersticiosamente, Singleton prevê que Wait morrerá ao avistarem terra. A profecia se concretiza, e a morte de Wait compromete a solidariedade do grupo. Quando o *Narciso* chega ao destino e é rebocado para o Tâmisa, eles deixam para trás a liberdade do mar e seguem cada um o seu caminho.

O romance tem sido interpretado como uma afirmação da solidariedade humana, e é verdade que presta homenagem às virtudes encontradas por Conrad nos companheiros de vida marítima. Mas um outro significado é sugerido em uma carta a Cunninghame Graham, escrita por Conrad depois de ter o amigo comentado que Singleton poderia parecer mais verossímil se tivesse tido uma boa educação. Conrad respondeu:

> Você diz: "Singleton com uma boa educação" [...]. Mas, antes de tudo, que educação? Se estamos falando de conhecimento de como viver, meu homem basicamente o possuía. Estava em perfeita harmonia com a própria vida. Se está se referindo a conhecimento científico, surge a questão: qual conhecimento, em que medida, em qual direção? Deveria ir até a trigonometria plana ou até as cônicas? Ou deveria ele estudar o platonismo ou o pirronismo ou a filosofia do nobre Emerson? Ou será que está querendo dizer aquele tipo de conhecimento que o capacitasse a maquinar e mentir e intrigar para abrir caminho até a frente de uma multidão que não seria melhor que ele? Você cultivaria mesmo, com maliciosa premeditação, o poder de pensar em tal homem inconsciente? Nesse caso, ele se tornaria consciente — e muito

ATEÍSMO SEM PROGRESSO   161

menor — e muito infeliz. Agora ele é simples e grande como uma força dos elementos. Nada pode afetá-lo, senão a força da decadência; o eterno decreto que haverá de extinguir o sol, as estrelas, uma a uma, e em outro momento espalhará uma escuridão congelada por todo o universo. Nada mais pode afetá-lo — ele não pensa.

Falando sério, você desejaria dizer a um homem assim: "Conhece-te a ti mesmo." Você não entende nada, menos que uma sombra, mais insignificante que uma gota d'água no oceano, mais passageiro que a ilusão de um sonho. Você o faria?[41]

É uma crítica devastadora do racionalismo na ética. Desde Sócrates, entende-se que uma vida examinada será uma boa vida. Conrad rejeita essa crença. Ao se examinar, você pode descobrir que suas habituais reações à vida se esvaíram. Os racionalistas consideram que existe aí uma boa oportunidade de escolher o caminho na vida. Acreditam que a maneira correta de viver pode ser encontrada pela razão. Mas isso é porque herdaram uma crença de que o mundo é racional — a fé de Platão, do cristianismo e do humanismo secular. Se não existe uma ordem no fundo de todas as coisas, uma vida examinada dificilmente poderia valer a pena.

Singleton, em contraste, sabe como viver. Tem um código que molda seus atos. Ele foi criado por seres humanos, mas não por ele ou nenhuma geração específica. É um modo de vida por ele encontrado entre os camaradas de tripulação, e que ele tratou de refinar ao longo do seu convívio com o mar.

A indiferença do mar não é encarada com ressentimento por Singleton ou seus companheiros. Escreve o narrador de Conrad: "Aos homens poupados por sua desdenhosa misericórdia, o mar imortal confere, em sua justiça, o pleno privilégio de uma inquietação desejada. Graças à perfeita sabedoria da sua graça, eles não podem meditar descansadamente no complicado e amargo sabor de existência."[42] Singleton não foi abençoado por nenhuma fé salvadora de que carecesse Conrad. Em vez disso, era dotado do autocontrole daquele que é capaz de se impor, sem pensar muito, em situações que não podem ser remediadas. Essa capacidade de encarar o destino definia em Conrad a rejeição da ideia de progresso e o seu ateísmo.

A luta dos marinheiros com o oceano simboliza a situação humana em um universo sem Deus. Conrad considerava trágico o processo mecânico em que os seres humanos se veem apanhados. Nenhuma das visões de aprimoramento invocadas por pensadores modernos poderia fazer frente ao seu "profundo sentimento de que este mundo habitado pelos homens é governado pela fatalidade". É essa insuperável fatalidade, porém, que evocava as qualidades que ele mais considerava valerem a pena nos seres humanos.

Conrad não pranteava a morte de um Deus pelo qual a personalidade humana era projetada em todo o universo. A impessoalidade do mar — "a perfeita sabedoria da sua graça", como escreveu, certamente em uma irônica alusão teológica — é que dava liberdade aos seres humanos. O oceano sem Deus dava aos marinheiros de Conrad tudo de que precisavam, e a Conrad tudo que queria.

7. O ateísmo do silêncio

O ATEÍSMO MÍSTICO DE ARTHUR SCHOPENHAUER

Se Nietzsche gritava nos telhados para proclamar a morte de Deus, Arthur Schopenhauer proporcionou à deidade um enterro tranquilo. Não deu sinais de prantear a morte de Deus. Muito mais do que seria capaz seu caprichoso discípulo, ele deixou o monoteísmo para trás sem maiores problemas. Schopenhauer nasceu na cidade de Danzig, em 1788. Seu pai era um homem de vontade firme, mas que sofria de ataques de ansiedade e aparentemente se suicidou. A mãe, por sua vez, era uma mulher de grande inteligência que escreveu alguns romances interessantes e mantinha um influente salão. Criado em uma casa cristã pelos padrões convencionais da época, ele aparentemente nunca se imbuiu de qualquer devoção. Se Schopenhauer teve alguma religião na juventude, ou em qualquer outro momento da vida, foi a música.

Foi na música que ele encontrou indícios de um reino além do mundo humano. Chegou à conclusão de que a natureza das coisas era inefável. A língua não era capaz de apreender a realidade além das aparências cambiantes. Mas o que não podia ser dito ainda podia ser cantado ou tocado. O que a música sugeria não era o Deus da crença cristã. Seria mais o Deus dos teólogos negativos — um estado de puro ser. Para que esse Deus se mostrasse, o Deus cristão precisava receber os últimos ritos e descansar.

Ele próprio extremamente voluntarioso, Schopenhauer estava convencido de que os problemas do homem decorriam da vontade — o inquieto, insaciável anseio que movia tudo que existia. Todo aquele que se apercebesse dessa verdade haveria de dar as costas à vida e mortificar seus apetites, acreditava ele. Schopenhauer não fez nada disso. Ao conquistar independência financeira, passou a viver exatamente como queria.

Obedecia a uma rotina diária, escrevendo pela manhã, saindo então para caminhar com um dos poodles que teve ao longo da vida, tocando flauta e indo à ópera, apreciando a boa comida e uma eventual taça de vinho. Nunca se casou, mas buscava o prazer erótico sempre que podia desfrutar dele sem comprometer sua independência. Um diário sexual que manteve foi queimado após sua morte, mas sabemos por suas obras publicadas que ele considerava o sexo o impulso humano dominante, mais forte que a autopreservação e mais generalizado que a crueldade sem motivo — que reconhecia, como Dostoievski, como um impulso humano formador. As reflexões de Schopenhauer sobre "a metafísica do amor sexual" em O mundo como vontade e representação tiveram profunda influência em Sigmund Freud.

Considerando a maioria dos seres humanos incuravelmente irracional, Schopenhauer conduzia sua vida com excepcional prudência. Podia considerar o mundo humano um vale de lágrimas, mas cuidava para que ele mesmo não sofresse muito. Idealmente, pregava o autossacrifício. Na prática, porém, se pautava pelas máximas da sabedoria burguesa. Ao contrário de Nietzsche, Schopenhauer nada tinha de santo — e o sabia. Resumiu a sabedoria prática na qual se inspirava em alguns ensaios, que foram reunidos e publicados em muitas edições e em vários idiomas.[1]

No fim das contas, Schopenhauer levou uma vida dupla, meticulosamente cultivando seus prazeres ao mesmo tempo que não se cansava de pregar a futilidade do desejo. Para quem considera que os filósofos devem viver segundo seus ensinamentos — como fez Santayana, por

O ATEÍSMO DO SILÊNCIO

exemplo —, pode parecer hipocrisia. Mas sob certos aspectos foi uma vida de contradição criadora. A prudente autogestão de Schopenhauer lhe permitiu produzir alguns dos textos mais penetrantes e bem-escritos da filosofia moderna. E seu egoísmo tampouco era totalmente destituído de atrativos. Para quem está cansado de pensadores cheios de autoestima empenhados em melhorar o mundo, há algo de revigorante na maldade de Schopenhauer.

O modo de vida que ele cultivou para si mesmo era de disciplinado trabalho intelectual, hedonismo cuidadosamente administrado e periódica liberação por meio da música. Zeloso dos seus prazeres, ele também era ansioso com a saúde e cuidadoso com o dinheiro. Tendo recebido uma herança do negócio paterno, zelava por sua renda particular como condição indispensável da liberdade — e não apenas para se isentar da necessidade de um trabalho subalterno como escriturário em uma empresa de navegação, experiência que tivera durante dois anos e que temia que se tornasse incontornável pelo resto da vida. A riqueza particular também o liberava da necessidade de escrever para o próprio sustento. Livrava-se, assim, de qualquer necessidade de agradar a editores ou de se submeter ao julgamento dos contemporâneos na filosofia, que ridicularizava e desprezava.

Para Nietzsche, discípulo rebelde de Schopenhauer, filho de um pastor, a morte de Deus era o maior acontecimento da história — uma ruptura da qual teria de ser extraído um novo significado, para que a humanidade não caísse em um abismo de niilismo. Para Schopenhauer, a história nunca teve significado algum, e nenhum ato de vontade poderia conferir sentido à deriva dos acontecimentos humanos. Para os indivíduos criados nas expectativas cristãs, isso significaria o desespero, considerando que ainda buscavam a redenção na história. Se pudessem renunciar a essas falsas esperanças, contudo, eles constatariam que a falta de significado da história era ela mesma redentora — um estímulo a abrir mão do mundo. Num mordaz ensaio sobre o cristianismo, observa Schopenhauer:

> Uma religião que tem como fundamento *um único acontecimento*, e na verdade tenta apresentar como virada decisiva do mundo e de toda a existência esse acontecimento verificado em tempo e lugar determinados, tem um fundamento tão débil que não poderia sobreviver [...]. Como é sábio no *budismo*, em compensação, o pressuposto dos mil Budas [...]. Os muitos Budas são necessários porque no fim de cada *kalpa* [época cósmica] o mundo se extingue, e com ele o ensinamento, de tal maneira que um novo mundo requer um novo Buda. Sempre existe salvação.[2]

Rejeitando o cristianismo, Schopenhauer também rejeitava qualquer filosofia em que a história seja um processo de autoemancipação humana. "O que a história relata", escreveu ele, "é na verdade apenas o longo, pesado e confuso sonho da humanidade". Ele descartava com desprezo a filosofia de G. W. F. Hegel, o principal pensador alemão da época, segundo quem a história era o desdobrar progressivo de um espírito do mundo — visão que Schopenhauer justificadamente considerava uma teodiceia cristã disfarçada.

Schopenhauer detestava Hegel. Durante breve período como professor universitário em Berlim, para provocar, ele de modo deliberado marcava suas conferências exatamente na mesma hora que as do grande homem. Mas só um punhado de estudantes se reunia para ouvir o discurso de Schopenhauer sobre "a essência do mundo e do espírito humano", enquanto mais de duzentos acorriam para ouvir Hegel se estender sobre a lógica interna da história. Hegel demonstrava, para sua própria satisfação e presumivelmente para a do público também, que a história era racional e também moral de uma forma gratificante. A lógica interna da história é que havia produzido o magnífico Estado prussiano. Para Schopenhauer, isso não passava da afirmação de que "o poder está com a razão", disfarçada em verbosidade metafísica.

A reação de Schopenhauer à filosofia de Hegel tinha uma outra explicação. Ao identificar a história como um processo em que o espírito se realizava, Hegel abria caminho para filosofias modernas em que a humanidade tomava o lugar de Deus. O monoteísmo e o humanismo eram ficções que,

O ATEÍSMO DO SILÊNCIO

agindo em conjunto, criaram a ilusão de que a história continha algum significado redentor. Para Schopenhauer, como para os gnósticos de épocas antigas, a salvação não era um acontecimento no tempo, mas a libertação do tempo. Sua filosofia era o polo oposto do moderno gnosticismo, no qual uma humanidade que endeusava a si mesma conduzia a história a uma conclusão triunfal.

Nos termos dos filósofos que o antecederam, Schopenhauer era um seguidor e crítico de Kant. O grande sábio do Iluminismo demonstrara que não era possível conhecer a realidade por meio da razão humana. Dispomos apenas de fenômenos — o mundo é tal como se nos apresenta. Como devemos viver, então? Cristão devoto, Kant não podia aceitar a resposta de David Hume, que recomendava uma vida guiada pela Natureza, pelo hábito e pelas convenções. Kant, assim, reintroduziu os valores cristãos por meio do racionalismo. Qualquer ser racional que aplicasse o imperativo categórico — "Agir apenas segundo princípios que aceitemos como leis universais" — haveria de se pautar pelas mesmas regras morais. Tratava-se, na verdade, de uma reformulação iluminista da Regra de Ouro: "Faça aquilo que gostaria que lhe fizessem."

Schopenhauer identificava uma falha nessa argumentação. Os seres humanos que aplicam a Regra de Ouro não se pautam pelos mesmos julgamentos do que é certo e errado. Os cristãos que assim fizeram aprovaram muitas práticas hoje consideradas injustas — notadamente a escravidão. Os kantianos afirmam que isso serve apenas para demonstrar que o imperativo categórico foi aplicado de modo errôneo. Mas que motivos teríamos para pensar que ele deva gerar um conjunto único de leis universais? A menos que se parta do princípio de um legislador divino, não há motivo para pensar a ética como obediência a alguma lei. Schopenhauer considerava que a base da ética estava no sentimento — a emoção da compaixão pelos outros que pode advir da percepção de que o egoísmo é uma ilusão. A salvação era a dissolução dessa ilusão. O indivíduo liberto entrava em um reino em que a vontade se cala. Indícios desse reino são percebidos em momentos em que nos sentimos transportados pela beleza. Pensando dessa maneira, Schopenhauer era influenciado pela filosofia indiana — particularmente a escola vedântica —, afinal ele foi um dos primeiros pensadores europeus a estudá-la.

Sobre a natureza desse reino espiritual, Schopenhauer nada dizia. Rejeitando qualquer ideia de um Deus criador, ele era um ateu intransigente. Ao insistir na realidade de algo que não pode ser comunicado, porém, não estava longe da teologia apofática dos místicos alemães e da Igreja Ortodoxa Oriental. Em termos humanos, esse reino transcendente de puro ser pode não parecer nada. Mas a própria mente humana não é nada, e ao contemplar o que está além de si mesma ela busca romper o véu de *maia* — a ilusão universal — e se aproximar mais da realidade.

O ateísmo místico de Schopenhauer inspirou alguns pensadores interessantes. Um deles, hoje quase esquecido, foi o escritor e filósofo Fritz Mauthner (1849-1923), autor de uma história do ateísmo em quatro volumes. Para Mauthner, não era da crença em Deus que os ateus tinham de abrir mão, mas da própria ideia de Deus. Nesse sentido, ele considerava ateus alguns dos maiores místicos, como o herege alemão Meister Eckhart (1260-1328), que pedia a Deus que o livrasse da ideia de Deus. O resultado de um ateísmo radical era o que Mauthner chamava de "misticismo sem Deus" — a contemplação silenciosa de um mundo além das palavras. Nominalista radical que encarava nossos conceitos como meras ferramentas úteis, ele considerava que a língua se tornava enganosa quando determinava nossa visão do mundo. Ignorada na filosofia, à parte uma observação desdenhosa no *Tractatus* de Wittgenstein, a obra de Mauthner teve forte influência em Samuel Beckett, que durante muitos anos manteve seus livros na cabeceira.[3]

O pensamento de Schopenhauer tem certas limitações. Ele denunciava a ilusão do mundo, mas em momento algum explica como ou por que essa ilusão surgiu. Sua concepção da salvação não é menos problemática. Se o que está por trás do mundo é o nada, o caminho mais simples para a salvação é o suicídio. Schopenhauer resiste a essa implicação com o argumento de que matar não resolve nada, pois a vontade simplesmente se renova de alguma outra forma. No entanto, se a vida é apenas dor, a morte resolve tudo para o indivíduo que sofre — por mais iludido que ele ou ela esteja.

O ATEÍSMO DO SILÊNCIO 169

Por outro lado, aceitar que o mundo é uma ilusão não significa necessariamente que se tentará escapar dele. Tal como apresentada em boa parte da obra de Schopenhauer, a vida humana — como tudo que existe — é agitação sem propósito. De outro ponto de vista, no entanto, esse mundo inconsequente é puro jogo. Em certas tradições indianas, o universo é o jogo ou brincadeira (em sânscrito, *lila*) do espírito. Schopenhauer se apegava à convicção de que o mundo precisava de redenção. Mas redenção de quê? Afinal, tudo que existe não passa de *maia*. Sem buscar a libertação do esplendor sem substância do mundo, uma mente livre pode encontrar a realização cumprindo sua parte no jogo da ilusão universal.

DUAS TEOLOGIAS NEGATIVAS: BENEDICT SPINOZA E LEV SHESTOV

Não é fácil estabelecer uma fronteira clara entre ateísmo e teologia negativa. Um ateu que negue que o mundo tenha sido criado por algum Deus pode afirmar um Deus que permeie o mundo, mas a cujo respeito pouco ou nada se possa dizer de positivo. Considerando que esse Deus imanente podia ser conhecido pelo exercício da razão pura, mas ao mesmo tempo sustentando que só podia ser descrito em termos negativos, o filósofo seiscentista Benedict Spinoza, um judeu holandês, era esse tipo de ateu. Não sendo um objeto finito, mas uma substância infinita, subsistindo eternamente sem início nem fim no tempo, o Deus de Spinoza era idêntico ao mundo, mas não tinha qualquer dos atributos das coisas do mundo.

Spinoza começa a *Ética*, sua maior obra, querendo demonstrar que Deus deve existir. "Deus" para ele significa uma substância única e infinita, *Deus sive Natura* — Deus ou Natureza. Se Deus é entendido dessa maneira, o Deus do monoteísmo não pode existir. Nenhum poder transcendental poderia ter criado o mundo, que é autossubsistente. O ato de criação, na teologia ou mito judaico-cristão, é uma manifestação do livre-arbítrio. Mas seja em Deus ou nos seres humanos, o livre-arbítrio é uma ilusão. O mundo é um sistema universal em que tudo é como deve ser. Nada é contingente, e não há milagres. Em um mundo assim, a única liberdade possível é a liberdade da mente, que significa entender que as coisas não podem ser diferentes do que são.

Negando até mesmo a possibilidade lógica de um criador, Spinoza era um ateu do tipo mais radical. Contudo, no fim de *Ética*, ele afirma que "nossa salvação, ou felicidade, ou liberdade, consiste [...] em um constante e eterno amor de Deus". Esse "amor intelectual de Deus" é "o maior bem que podemos desejar" — o bem supremo na vida humana. Ninguém que entenda Deus pode odiar Deus. Mas ninguém pode pedir a Deus que o ame em troca, pois ele e Deus não são coisas diferentes. Existe apenas uma coisa: o próprio Deus.[4]

Pode parecer estranho que um pensador tente provar que o Deus do monoteísmo não pode existir, para em seguida afirmar que o amor de Deus é o supremo bem. O que Spinoza está querendo é reunir em um só sistema de ideias duas formas radicalmente divergentes de encarar o mundo: uma visão de um Absoluto imaginário, necessariamente infinito e eterno, e a visão de um indivíduo humano finito e mortal, embora essas perspectivas sejam por demais diferentes para serem comparadas, quanto mais fundidas.

O motivo de Spinoza ter tentado essa síntese pode ficar mais claro se explicarmos o contexto do seu pensamento. Nascido em 1632 em Amsterdã, para onde sua família tinha fugido de Portugal após a conversão forçada dos judeus ao cristianismo nas mãos da Inquisição, Spinoza recebeu uma educação judaica tradicional. Já na juventude, aparentemente, teve dúvidas quanto à religião que o induziam a seguir. Não tentou converter os praticantes da doutrina aos seus pontos de vista, mas deve ter revelado alguns dos temas centrais de *Ética* aos que o cercavam. Em consequência, foi excomungado em 1656 pela sinagoga do seminário rabínico, a Congregação Unificada dos Judeus-Portugueses de Amsterdã.

Para a comunidade judaica que o expulsou, a heterodoxia de Spinoza não era apenas uma questão de doutrina, mas também de segurança. A Europa e a Holanda, à época, eram palco de intensas controvérsias religiosas, algumas

O ATEÍSMO DO SILÊNCIO 171

violentas, e quaisquer conflitos na comunidade judaica de Amsterdã ou ao seu redor podiam ameaçar sua segurança. Outro motivo da expulsão pode ter sido as trocas de Spinoza com outros pensadores heterodoxos, alguns secretamente envolvidos em política. O que é inegável é que, em termos da ortodoxia judaico-cristã, o pensamento de Spinoza era profundamente herético.

Após a excomunhão, Spinoza levou uma vida tranquila, sustentando-se como oculista. Para preservar a independência na medida do possível, recusou um convite para um cargo acadêmico, por considerar que uma posição assim poderia comprometer sua liberdade. Não se interessava por riquezas ou posses e abriu mão de quase toda a sua herança legal, depois de garantir com uma ação judicial contra a meia-irmã seu direito de recebê-la. Em 1660, Spinoza transferiu-se de Amsterdã para uma tranquila aldeia perto de Leiden, mantendo correspondência com alguns dos maiores intelectos da época, entre eles o filósofo Leibniz e os cientistas Huygens e Boyle. Passou os últimos anos redigindo um tratado de política, que não conseguiu concluir. Morreu em 1677, provavelmente de complicações da tuberculose de que sofria desde os primeiros anos, condição que pode ter sido exacerbada pelo trabalho com as lentes. Os que o conheceram se referiam a ele com afeto, considerando-o um homem modesto, cortês e de temperamento afável. Sua filosofia, por outro lado, era severa, inflexível e extraordinariamente ambiciosa.

Spinoza afirmou certa vez em uma carta: "Não presumo ter descoberto a melhor filosofia, mas sei que entendo a verdadeira."[5] Os filósofos racionalistas de sua época estavam todos em desacordo com a religião tradicional, mas se eximiam de contestá-la diretamente. Descartes lutava com a questão mente-corpo, enquanto Leibniz tentava conciliar seu racionalismo com a ortodoxia cristã. Eles estavam ansiosos por responder à ciência, mas não abandonando o monoteísmo.

Mais radical em seu pensamento, Spinoza rompeu com o pressuposto mais fundamental do monoteísmo: o dualismo entre mente e matéria que está por trás da ideia de que o mundo é criação de Deus. Para Spinoza, só podia haver uma substância, que era o próprio Deus. Às vezes considerada como panteísmo — a crença de que o próprio universo é Deus —, essa ideia pode ser mais bem entendida como uma versão do monismo, no qual o mundo é um sistema único, infinito e eterno.

A filosofia de Spinoza elimina muitos dos problemas decorrentes do monoteísmo. O problema do mal é descartado ao se prescindir da ideia do mal como algo independente dos seres humanos. Como não existe livre-arbítrio, ninguém escolhe ser mau ou fazer o mal. O bem e o mal são atitudes humanas em relação ao mundo, e não características do próprio mundo. Para Deus ou para a Natureza não pode haver mal.

Um problema dessa visão das coisas é de que maneira Spinoza podia saber que era verdadeira. Ele não afirma que ela tenha sido testada pela experiência. Para ele, o fato de o mundo ser um sistema infinito único era uma verdade necessária — a conclusão alcançada puramente pela razão. O modelo de razão em Spinoza era a matemática — o *more geometrico*, ou método geométrico. Como o Bertrand Russell dos primeiros tempos, ele acreditava que a matemática dava acesso a verdades eternas. Nunca explicou de que maneira a ordem da razão combinava com o mundo que é governado pelas leis físicas. Foi muito inspirado pelas ciências em avanço na época, mas sua filosofia pouco devia aos métodos experimentais de investigação. Seu modo de pensar tinha mais em comum com a escolástica medieval do que com qualquer qualidade da ciência moderna. A tese de Spinoza de que Deus existe por necessidade não é muito diferente do chamado argumento ontológico apresentado por teólogos cristãos medievais como Santo Anselmo de Canterbury (1033-1109), segundo quem, como a mente humana contém a ideia de um ser perfeito, esse ser deve existir. Tal qual Anselmo, Spinoza presumia uma ordem no cosmo que é refletida na mente humana, mas a existência de uma ordem dessa natureza é um artigo de fé, e não uma conclusão demonstrada por meio da razão. Se a mente humana espelha o cosmo, talvez seja por serem ambos fundamentalmente caóticos.

Outra questão é saber por que alguém haveria de cultuar o Deus de Spinoza. Sua visão de uma substância infinita e eterna, carente de tudo que seja contingente ou acidental, não deixa de ter certa grandeza austera. Mas nada mais é que uma construção intelectual, e nem de longe se pode

O ATEÍSMO DO SILÊNCIO

considerar óbvio por que alguém haveria de dedicar a vida a uma abstração assim. Spinoza nos diz que só se pode conhecer Deus deixando de lado qualquer emoção ou simpatia parcial — o amor que acaso se tenha por determinada pessoa ou lugar, por exemplo. Repetidas vezes em suas obras, escritas em latim, ele exorta o leitor: *Non ridere, non lugere, neque detestari, sed intelligere* (Não ria, não chore, não se enraiveça, mas compreenda). Não fica claro, porém, por que alguém se imolaria em um altar erguido sobre a especulação metafísica. Por que renunciar à nossa humanidade em nome de uma deidade indiferente?

O filósofo polonês Leszek Kołakowski resumiu a filosofia de Spinoza como a filosofia de "um místico resignado, que revestia seu misticismo pessoal em um arcabouço intelectual cartesiano, uma filosofia de fuga, uma teoria da liberdade alcançável por meio da negação espiritual da ordem finita do mundo".[6] Mas isso não dá conta do êxtase que Spinoza imagina sendo experimentado pelo ser humano plenamente racional ao entender que tudo é como deve ser. Santayana, grande admirador de Spinoza e grande crítico de sua filosofia, entendeu esse estado de espírito quando escreveu:

> Ao superar todas as fraquezas humanas, mesmo quando parecem boas ou nobres, e honrar o poder e a verdade, ainda que o matassem, ele entrava no santuário de uma serena sabedoria sobre-humana, não porque o mundo tal como o concebia fosse lisonjeiro a seu coração, mas porque seu coração desdenhava toda lisonja, desvendando e saboreando com sacrificial coragem profética o seu destino, por mais trágico fosse.

Entretanto, conforme Santayana prossegue, o problema moral não é resolvido pela autoidentificação de Spinoza com Deus ou a Natureza. A alma finita pode acreditar que faz parte de um cosmo racional. Mas nem de longe é evidente que exista um tal cosmo: "Um espírito realmente isento não pode presumir que o mundo seja perfeitamente inteligível. Pode haver irracionais, pode haver fatos duros, pode haver abismos escuros diante dos quais a inteligência deve se calar, por medo de enlouquecer."[7]

Existem outras tensões no pensamento de Spinoza. Ele tem sido considerado um pensador iluminista radical que promoveu uma poderosa versão do liberalismo.[8] É verdade que ele não foi apenas um impassível metafísico. Foi também apaixonado adepto da liberdade de investigação e expressão. Mas de que valem essas liberdades se os seres humanos não podem pensar diferente do que pensam? Se a única liberdade possível é entender nosso lugar no necessário esquema das coisas, um escravo pode ser livre. Era a visão do filósofo estoico Epicteto (50-135), que nasceu escravo. Se fossem mais racionais e tivessem mais controle das próprias paixões, pensava Epicteto, os escravos podiam ser mais livres que seus senhores. Mas Spinoza não imaginava que a maioria dos seres humanos jamais viesse a se tornar racional. Em seus escritos sobre política, afirma claramente que a maior parte da humanidade não é capaz de entender a verdade e precisa ser governada pelo uso de mitos e símbolos. Chega a dizer que esses semelhantes não deviam lê-lo: "À multidão, e aos que têm paixões como as da multidão, peço que não leiam meu livro; pelo contrário, prefiro que o desprezem totalmente do que o interpretem mal, como costumam fazer."[9]

Nessa visão estoico-spinozista, as liberdades liberais só podem ter valor indireto para a massa da humanidade. E tampouco podem ter grande valor para os poucos que são racionais, capazes de ser tão livres em uma tirania quanto seriam em um regime liberal. A liberdade política e social, que estava no cerne do liberalismo de Spinoza, torna-se insignificante no contexto mais amplo de seu pensamento. A única liberdade que importa é a liberdade interior, que — segundo Spinoza — consiste na aceitação de que tudo no mundo é como deve ser.[10]

O resultado final da filosofia de Spinoza é que a liberdade significa submissão à necessidade. Foi a conclusão a que chegou o pensador religioso Lev Shestov (1866-1938), um judeu russo, que por esse motivo rejeitava a filosofia de Spinoza. Racionalista intransigente, Spinoza acreditava que Deus só podia ser conhecido pelo exercício da razão pura. Shestov era um fideísta dos mais radicais. Não considerava apenas que a fé fosse independente da razão. Acreditava que Deus só era alcançado pelo rompimento dos grilhões

O ATEÍSMO DO SILÊNCIO

da razão. Deus era um reino de infinita possibilidade além de todas as leis, fossem da lógica ou da ética.

Não há dois filósofos modernos tão opostos em sua visão de Deus e da liberdade quanto Spinoza e Shestov. Para este, Spinoza era o profeta de uma fatal ilusão. Seu objetivo era conter todo o mundo em um sistema único de verdades necessárias. O que, no entanto, não deixava espaço para a liberdade espiritual. A filosofia de Spinoza aprisionava a alma em um cárcere conceitual construído pela mente humana para si mesma. Mas Shestov aparentemente amava Spinoza, considerando-o um antagonista indispensável e um interlocutor valioso.

Segundo Shestov, toda concepção humana de Deus devia ser abandonada. Nisso ele se assemelhava ao místico medieval herético Mestre Eckhart. Em ambos a distinção entre o criador e a alma humana é obscurecida, às vezes a ponto de desaparecer completamente. Se Eckhart deve ser considerado ateu, como afirmava Mauthner, o mesmo se aplica a Shestov.

Em sua principal obra, *Atenas e Jerusalém*, Shestov escreveu:

> A força da revelação bíblica — o que nela encontramos de incomparavelmente milagroso e ao mesmo tempo absurdamente paradoxal, ou, melhor dizendo, seu caráter monstruosamente absurdo — nos leva além dos limites de toda compreensão humana e das possibilidades que a compreensão comporta. Deus: isso significa que não existe nada impossível [...] o homem decaído aspira, em última análise, ao prometido "nada lhe será impossível".[11]

Para Shestov, é da natureza da fé exigir o impossível. Spinoza, por sua vez, exigia submissão à necessidade porque estava fascinado com uma ideia de unidade:

> Vivemos na limitação e na injustiça. Somos forçados a nos apertar uns contra os outros, e para sofrer o mínimo possível tentamos manter certa ordem. Mas por que atribuir a Deus, o Deus que não é limitado por tempo nem por espaço, o mesmo respeito e amor pela ordem? [...] Não há a menor necessidade. Em consequência, a ideia da unidade total é uma ideia absolutamente falsa. E como a filosofia em geral não dispensa essa ideia, segue-se,

176 SETE TIPOS DE ATEÍSMO

como segunda consequência, que nosso pensamento é acometido de uma terrível doença de que precisamos nos livrar, por mais difícil que seja.[12]

Para Shestov, a filosofia de Spinoza era um exemplo dessa doença. Ele compartilhava com Spinoza a crença de que Deus transcende todos os atributos humanos. Além disso, não podiam ser mais diferentes.

Sob certos aspectos Shestov está mais próximo de Santayana que de Spinoza. Como vimos, Santayana rejeitava a crença de Spinoza de que o mundo no fim das contas deve ser inteligível. "Este mundo é contingência e absurdo encarnados", escreveu Santayana, "a mais estranha das possibilidades mascarada momentaneamente como fato".[13] Shestov concordava, mas chegava a conclusões muito diferentes. Para Santayana, a contingência — a natureza arbitrária e acidental do mundo — era uma aflição da qual deveria fugir. Para Shestov, a contingência sem limites era Deus encarnado.

Não foi apenas em Spinoza que Shestov encontrou uma filosofia de submissão à necessidade. A mesma ideia foi expressa no super-homem de Nietzsche, que encontra a liberdade no *amor fati* — o amor da necessidade. (Curiosamente, é sempre com admiração que Nietzsche se refere a Spinoza em suas obras.) Spinoza e Nietzsche estavam ambos nas malhas da filosofia grega. Ambos cultuavam o destino, e não Deus.

Leitor a vida inteira de Dostoievski, que inclusive foi tema de dois dos seus primeiros livros,[14] Shestov se posiciona ao lado do homem do subterrâneo em sua rebelião contra o "palácio de cristal" da razão. Como Ivã Karamazov, Shestov rejeitava qualquer tipo de teodiceia. A fé não era uma busca da harmonia, mas rebelião contra qualquer sistema de pensamento que pretendesse conciliar a humanidade com a necessidade. Ele zombava da tentativa de encontrar algum sentido ou lógica na história:

> As pessoas buscam o significado da história, e o encontram. Mas por que a história haveria de ter um significado? A pergunta nunca é feita. E, no entanto, se alguém a fizesse, começaria talvez por duvidar de que a história deva ter um significado, e viria a se convencer de que a história de modo

O ATEÍSMO DO SILÊNCIO

algum está destinada a ter um significado, de que a história é uma coisa, e significado, outra.[15]

Shestov falava por experiência própria. Nascido em Kiev e tendo crescido em um círculo de brilhantes pensadores e escritores russos, ele viu a Rússia se desintegrar durante e após a Primeira Guerra Mundial, caindo então sob o tacão da repressão bolchevista. Deixou a Rússia em 1919, depois de um período ensinando na universidade em Kiev, quando foi instruído a acrescentar um prefácio marxista a um livro sobre questões religiosas que acabara de concluir. Recusou-se e, depois de uma longa e árdua viagem, chegou a Paris, onde passou o resto da vida. Suas obras despertaram interesse muito além dos intelectuais da diáspora russa. O pensador ateu francês Georges Bataille, o ensaísta romeno-francês Emile Cioran, Albert Camus e D. H. Lawrence (que escreveu um prefácio a uma tradução inglesa de *Todas as coisas são possíveis*, de Shestov)[16] estiveram entre os admiradores de sua obra.

O pensamento de Shestov intrigou muitos de seus contemporâneos, mas arrebatou poucos seguidores. Ele teve apenas um discípulo. O poeta, cineasta e ensaísta judeu romeno Benjamin Fondane (1898-1944) se interessou por Shestov, que conheceu em Paris em 1924 e para quem trabalhou posteriormente como assistente, por sua investida contra a razão. Como Mauthner, Fondane tinha aguda consciência das limitações da língua. Sua poesia, em grande parte de estilo simbolista, era uma tentativa de apontar para além das palavras.[17] Ele gostava do cinema mudo porque a ausência de fala tornava os filmes mais expressivos. Um filme de cuja produção participou, *Arrebatado*, fracassou por causa de uma trilha sonora quase inexistente, em uma época em que o cinema falado já dominava.

A observação de Shestov de que a história é uma coisa mas significa outra é ilustrada na vida de seu discípulo. Ao irromper a Segunda Guerra Mundial, Fondane entrou para o exército na França. Em uma carta à irmã, na época, ele escreveu: "Melhor morrer se o universo não conhece nenhum deus além de Hitler." Tendo sido capturado pelos alemães, ele fugiu e passou algum tempo em um hospital, acometido de apendicite. Apesar das tentativas de amigos de levá-lo para Nova York ou para a Argentina, passou o resto da guerra escondido em Paris, sem renda nem documentos e se recusando a usar o distintivo amarelo imposto aos judeus. Em março de 1944, foi encontrado e detido pela polícia francesa e mandado para Drancy, o centro de processamento e encaminhamento para os campos de extermínio. Os amigos de Fondane recorreram à legação romena — que na época tinha como adido cultural o dramaturgo Eugene Ionesco — e ele acabou sendo libertado. Não foi possível, porém, obter a liberdade da irmã de Fondane, e por isso ele se recusou a partir. Não sabemos o destino que ela teve, mas parece provável que tenha morrido em uma posterior deportação.

No dia 30 de março, Fondane foi mandado para Auschwitz-Birkenau. Segundo relatos de sobreviventes, passava tanto tempo quanto possível em animados debates filosóficos com outros prisioneiros. Aparentemente sabia que estava marcado para morrer. Em outubro, semanas antes de os soviéticos liberarem o campo, foi morto na câmara de gás.[18]

Num breve texto em memória de Fondane, Cioran — que alegava ter tentado convencer o amigo a se mudar com mais frequência, pois caso contrário podia ser traído por uma porteira — recordava-se dele com vívido afeto:

> O rosto mais vincado e enrugado que se possa imaginar, um rosto com rugas milenares jamais quietas, como que animadas pelo mais contagioso e explosivo tormento: eu não me cansava de contemplar aquele semblante. Nunca tinha visto semelhante harmonia entre experiência e expressão, entre fisionomia e fala.[19]

Segundo Cioran, Fondane de fato foi denunciado pela porteira à polícia. Ele não parecia preocupado com a própria segurança — "uma estranha 'despreocupação' da parte de alguém que nada tinha de ingênuo, e cujo discernimento psicológico e político dava testemunho de excepcional perspicácia".[20] Talvez Fondane achasse que só poderia ser salvo por um milagre.

O mestre de Fondane também queria viver em um mundo em que ocorressem milagres. Shestov chegou à fé por meio da dúvida radical. No entanto, por mais radical, a dúvida cética não é capaz de proporcionar a liberdade ilimitada exigida por Shestov. O que ele queria era voltar ao estado anterior à Queda, quando tudo parecia possível. Mas a Queda é o preço da consciência. Não há como voltar atrás.

Conclusão
Viver sem crença nem descrença

O Deus do monoteísmo não morreu, apenas saiu de cena por algum tempo para reaparecer como humanidade — a espécie humana caracterizada como agente coletivo em busca da autorrealização na história. Entretanto, assim como o Deus do monoteísmo, a humanidade é obra da imaginação. A única realidade suscetível de ser observada é o animal humano multitudinário, com seus objetivos, valores e modos de vida conflitantes. Como objeto de culto, essa espécie rebelde apresenta algumas desvantagens. O monoteísmo à velha maneira tinha o mérito de reconhecer que muito pouco se pode saber a respeito de Deus. Desde uma época tão remota quanto a do profeta Isaías, os fiéis reconhecem que a deidade pode ter-se retirado do mundo. Esperando algum sinal da presença divina, eles encontraram apenas *deus absconditus* — um Deus ausente.

O resultado da tentativa de abolir o monoteísmo é exatamente o mesmo. Seguidas gerações de ateus viveram na expectativa da chegada de uma espécie verdadeiramente humana: os trabalhadores comunitários de Marx, os indivíduos autônomos de Mill e o absurdo *Übermensch* de Nietzsche, entre muitos outros. Nenhuma dessas criaturas fantásticas chegou a ser vista por olhos humanos. Uma espécie verdadeiramente humana continua tão inapreensível quanto qualquer deidade. A humanidade é o *deus absconditus* do ateísmo moderno.

Um ateísmo livre-pensador começaria por questionar a generalizada fé na humanidade, mas não há muita perspectiva de os ateus contemporâneos abrirem mão da reverência a esse fantasma. Sem a crença de que estão na vanguarda de uma espécie em progresso, dificilmente eles seriam capazes de seguir em frente. Só conseguem conferir sentido à própria vida mergulhando nesse absurdo. Sem ele, enfrentariam pânico e desespero ·

Segundo as teorias grandiloquentes herdadas do positivismo pelos ateus de hoje, a religião vai desaparecer à medida que a ciência continuar avançando. Mas, apesar de a ciência estar progredindo com mais rapidez que nunca, a religião prospera — às vezes de maneira violenta. Os crentes seculares afirmam que se trata de um fenômeno passageiro e sem significado — com o tempo, a religião vai mesmo declinar e desaparecer. Mas sua raivosa frustração com o ressurgimento das fés tradicionais mostra que eles próprios não acreditam em suas teorias. Para eles, a religião é tão inexplicável quanto o pecado original. Os ateus que demonizam a religião enfrentam um problema do mal tão insolúvel quanto o que se apresenta ao cristianismo.

Quem quiser entender o ateísmo e a religião precisa deixar de lado a suposição popular de que são opostos. Quem for capaz de ver o que há de comum entre uma teocracia milenarista na Münster do início do século XVI e a Rússia bolchevista ou a Alemanha nazista terá uma visão mais clara do panorama moderno. Quem perceber que as teologias que afirmam o caráter inefável de Deus e certos tipos de ateísmo não estão tão distantes assim aprenderá algo a respeito dos limites do entendimento humano.

O ateísmo contemporâneo é uma continuação do monoteísmo por outros meios. Donde a infindável sucessão de substitutos de Deus, como a humanidade e a ciência, a tecnologia e as visões tão humanas do transumanismo. Mas não há necessidade de pânico nem desespero. Crença e descrença são posturas adotadas pela mente diante de uma realidade inimaginável. Um mundo sem Deus é tão misterioso quanto um mundo impregnado de divindade, e a diferença entre os dois pode ser menor do que se imagina.

Agradecimentos

Este livro se beneficiou enormemente com as ideias de meus editores e amigos. Simon Winder, meu editor na Penguin, aprimorou muito o texto, que também foi muito melhorado por sugestões de Eric Chinski, meu editor na Farrar, Straus and Giroux. Adam Phillips deu grande incentivo ao livro, além de contribuir com muitos comentários detalhados que me ajudaram a decidir como deveria escrevê-lo. Tracy Bohan acompanhou de perto esta obra na passagem da concepção à publicação. Sou grato a ela e a sua equipe na Wylie Agency pelo constante apoio.

Este livro foi enriquecido por conversas com algumas pessoas ao longo dos anos. Entre elas, gostaria de agradecer a Bryan Appleyard, Robert Colls, Henry Hardy, Bas Heijne, David Herman, Gerard Lemos, Michael Lind, James Lovelock, Pankaj Mishra, Alan Ponter, Paul Schütze, Will Self, Geoffrey Smith, Nassim Taleb e Marcel Theroux. A leitura de textos do falecido Norman Cohn e minhas conversas com ele tiveram uma influência formadora no meu modo de pensar a religião e a política.

Nenhuma dessas pessoas tem qualquer responsabilidade pelo uso que fiz de suas ideias e observações.

Meu maior débito de gratidão é com minha mulher, Mieko, sem a qual este livro não teria sido escrito.

John Gray

Notas

INTRODUÇÃO: COMO SER ATEU

1. Robin Lane Fox, *Pagans and Christians*, Londres, Penguin Books, 2006, 31-32.
2. William Empson, *Seven Types of Ambiguity*, Londres, The Hogarth Press, 1984, 1, 11.

1. O NOVO ATEÍSMO: UMA ORTODOXIA NOVECENTISTA

1. L. Wittgenstein, *Remarks on Frazer's Golden Bough*, org. Rush Rhees, trad. A. C. Miles, Corbridge, Brynmill Press, 2010, 8.
2. Richard Robinson, *An Atheist's Values*, Oxford, Oxford University Press, 1964, 9.

2. HUMANISMO SECULAR, UMA RELÍQUIA SAGRADA

1. Para uma análise detalhada do milenarismo medieval e da política moderna, ver meu livro *Missa negra: religião apocalíptica e o fim das utopias*, Rio de Janeiro, Record, 2008.
2. Catherine Nixey, *The Darkening Age: The Christian Destruction of the Classical World*, Londres, Macmillan, 2017, xxxvii.
3. Bertrand Russell, *The History of Western Philosophy*, Nova York, Simon & Schuster, 1945, 364.
4. Ver Gareth Stedman Jones, *Karl Marx, Greatness and Illusion: a life*, Londres, Allen Lane, 2016, "Postscript: A Note on Marx and Judaism", 165-167.
5. Ver Jonathan Sperber, *Karl Marx: a nineteenth-century life*, Nova York, Liveright, 2013, 421.

SETE TIPOS DE ATEÍSMO

6. John Stuart Mill, *Essential Writings*, org. e introd. de Max Lerner, Nova York, Bantam Books, 1961, 31, 34.
7. Ibid., 89-90.
8. Ibid., 81.
9. Ibid., 13-14.
10. Ibid., 98.
11. Eu próprio contribuí para a extensa literatura filosófica sobre Mill com meu livro *Mill on Liberty: a defence*, Londres, Routledge, 1983, 2ª ed. 1996; 2ª ed. republicada em Taylor & Francis e-library, 2003.
12. Alexander Herzen, *My Life and Thoughts*, trad. Constant Garnett, introdução de Isaiah Berlin, Berkeley, University of California Press, 1999, 463.
13. *John Stuart Mill on Liberty and Other Essays*, org. John Gray, Oxford, Oxford University Press, 1998, 140.
14. Ibid., 15.
15. John Stuart Mill, *Nature and the Utility of Religion*, ed. George Nakhnikian, Indianápolis e Nova York, Bobbs-Merrill, 1958, 64-65.
16. Henry Sidgwick, *Methods of Ethics*, 7ª ed., Indianápolis e Cambridge, Hackett, 1981, 508.
17. Para uma análise mais aprofundada da filosofia de Sidgwick e seu envolvimento na investigação física, ver John Gray, *A busca pela imortalidade: a obsessão humana em ludibriar a morte*, Rio de Janeiro, Record, 2014. O suposto texto póstumo de Sidgwick é citado na p. 36.
18. Bertrand Russell, *Autobiography*, vol. 1: 1872-1914, Londres, George Allen & Unwin, 1967, 146.
19. Bertrand Russell, *Autobiography*, vol. 2: 1914-1944, Londres, George Allen & Unwin, 1968, 38.
20. Bertrand Russell, *Sceptical Essays*, Londres, Routledge, 2004, 13.
21. Bertrand Russell, *The Practice and Theory of Bolshevism*, Nova York, Harcourt, Brace & Howe, 1920, 20, 117.
22. Bertrand Russell, *Autobiography*, vol. I, 209.
23. Sidgwick admitia uma dose razoável de hipocrisia, mas apenas em caso de justificativa por princípios universais. Sobre sua defesa de uma "moral esotérica", ver Gray, *The Immortalization Commission*, 57-58.
24. Michel Onfray, trad. Jeremy Leggatt, *In Defence of Atheism: the case against Christianity, Judaism and Islam*, Londres, Serpent's Tail Books, 2007, 34.

NOTAS 187

25. F. Nietzsche, *Twilight of the Gods and The Anti-Christ*, trad., introd. e notas de R. J. Hollingdale, Londres, Penguin Books, 1968, 131.
26. Ibid., 163.
27. Ayn Rand, *We the Living*, 1ª ed., Nova York, Signet Books, 1959, viii.
28. Ayn Rand, *We the Living*, Nova York, Macmillan, 1936, 92-94.
29. Ver Michael Prescott, "Romancing the Stone-Cold Killer: Ayn Rand and William Hickman", michaelprescott.typepad.com.
30. Ver Bernice Glatzer Rosenthal, *Nietzsche in Russia*, Princeton, Princeton University Press, 1986, para um útil apanhado do impacto de Nietzsche na arte e no pensamento russos.
31. Fui informado do impacto da piteira de Ayn sobre seu público por um antigo seguidor.
32. Ver Murray Rothbard, "The Sociology of the Ayn Rand Cult", rothbard.altervista.org.
33. Lucretius, *On The Nature of the Universe*, trad. Ronald Melville, com introdução de Don e Peta Fowler, Oxford, Oxford University Press, 1997, 36.

3. UMA ESTRANHA FÉ NA CIÊNCIA

1. H. G. Wells, *Anticipations*, Londres, Chapman & Hall, 1902, 317. Analiso mais extensamente os pontos de vista de Wells em *A busca pela imortalidade: a obsessão humana em ludibriar a morte*, Rio de Janeiro, Record, 2014.
2. *The Autobiography of Charles Darwin*, Nova York, Barnes & Noble, 2005, 67.
3. Charles Darwin, *On the Origin of Species*, Ware, Wordsworth Editions, 1998, 368.
4. T. H. Huxley, "Evolution and Ethics", Romanes Lecture, 1893, alepho.clarku.edu/huxleyCE9/E-E.html.
5. Esses trechos de Hume e Kant são citados por Richard H. Popkin em "Hume's Racism", in Richard H. Popkin, *The High Road to Pyrrhonism*, org. Richard A. Watson e James E. Force, Indianapolis e Cambridge, Hackett, 1993, 254-255, 259-260.
6. Popkin, *The High Road to Pyrrhonism*, 81.
7. Voltaire, *Philosophical Dictionary*, Londres, J. and H. L. Hunt, 1824, vol. 1: Atheism, 328.
8. Para um estudo abrangente do antissemitismo no Iluminismo, ver Arthur Hertzberg, *The French Enlightenment and the Jews: the origin of modern anti-semitism*, Nova York, Schocken Books, 1968.

188   SETE TIPOS DE ATEÍSMO

9. Peter Gay, *The Party of Humanity: essays in the French Enlightenment*, Nova York, Knopf Doubleday, 1964, 351-354.

10. Refiro-me aqui a *The Heavenly City of the Eighteenth-Century Philosophers*, de Carl Becker, New Haven e Londres, Yale University Press, 2004. Publicado originalmente em 1932, é ainda hoje o melhor livro sobre o Iluminismo.

11. Para um esclarecedor estudo sobre vida e obra de Mesmer, ver Vincent Buranelli, *The Wizard from Vienna*, Londres, Peter Owen, 1976.

12. Ibid., 183.

13. Entre os que compararam Mesmer a Freud estava o escritor austríaco Stefan Zweig. Ver seu livro *Mental Healers: Franz Anton Mesmer, Mary Baker Eddy, Sigmund Freud*, publicado originalmente em 1932 pela Viking Press, Nova York, republicado por Plunkett Lane Press, Lexington, Mass., 2012. Argumentei contra essa visão de Freud como curandeiro psicológico em *O silêncio dos animais: sobre o progresso e outros mitos modernos*, Rio de Janeiro, Record, 2019, 61-101.

14. Leon Trotsky, *Literature and Revolution*, www.marxists.org/archive/trotsky1924/lit_revo/index.htm.

15. Leon Trotsky, *The Defence of Terrorism*, Londres, Labour Publishing Company, 1921, 60.

16. C. S. Lewis, *The Abolition of Man*, Nova York, HarperCollins, 2001, 65.

17. J. B. S. Haldane, "Daedalus; or, science and the future", https://www. marxists. org/archive/haldane/works/1920s/daedalus.htm.

18. Yuval Noah Harari, *Homo Deus: a brief history of tomorrow*, Londres, Harvill Secker, 2016, 46.

19. Ibid., 46.

20. Henry Sidgwick, *Methods of Ethics*, 7ª ed., Indianapolis e Cambridge, Hackett, 1981, XX.

21. Ray Kurzweil, *The Singularity is Near: when humans transcend biology*, Londres, Penguin Books, 2005, 389.

22. O filósofo transumanista Nick Bostrom passou a temer os riscos contidos em novos avanços da inteligência artificial. Ver seu livro *Superintelligence: paths, dangers, strategies*, Oxford, Oxford University Press, 2014.

4. ATEÍSMO, GNOSTICISMO E A MODERNA RELIGIÃO POLÍTICA

1. Norman Cohn, *The Pursuit of the Millennium: revolutionary millenarians and mystical anarchists of the middle ages*, ed. revista e ampliada, Nova York e Oxford, Oxford University Press, 1970, 15.

NOTAS

2. Eric Voegelin, *Science, Politics and Gnosticism*, introd. Ellis Sandoz, Washington, Del., ISI Books, 2004, 64-65.

3. Hans Jonas, *The Gnostic Religion: the message of the alien God and the beginnings of Christianity*, Boston, Beacon Press, 1963, 42-45.

4. Cohn, *The Pursuit of the Millennium*, 281.

5. Alexis de Tocqueville, *L'Ancien Régime et la Revolution*, Livro 1, capítulo iii, citado por Carl L. Becker, *The Heavenly City of the Eighteenth-Century Philosophers*, New Haven e Londres, Yale University Press, 2004, 154-155.

6. Citado in Becker, *The Heavenly City of the Eighteenth-Century Philosophers*, 157-158.

7. Nicolas Berdyaev, *The Origin of Russian Communism*, Londres, Geoffrey Bles, 1937, 9.

8. Robert Service, *Lenin: a biography*, Londres, Macmillan, 2000, 365.

9. Lesley Chamberlain, *The Philosophy Steamer: Lenin and the exile of the intelligentsia*, Londres, Atlantic Books, 2006.

10. Donald Rayfield, *Stalin and his Hangmen*, Londres, Penguin Books, 2005, 82.

11. Ver George Leggett, *The Cheka: Lenin's political police*, Oxford, Oxford University Press, 1971, 178.

12. Tratei dos construtores de Deus em John Gray, *A busca pela imortalidade: a obsessão humana em ludibriar a morte*, Rio de Janeiro, Record, 2014, no qual o discurso de Krasin é citado à p. 149.

13. Ibid., 169.

14. Friedrich Percyval Reck-Malleczewen, *Diary of a Man in Despair*, trad. Paul Rubens, introd. Norman Stone, Londres, Duckworth, 2000, 30-32. O estudo de Reck-Malleczewen sobre Bockelson foi publicado em inglês com o título *A History of the Munster Anabaptists: inner emigration and the Third Reich. A critical edition of Friedrich Reck-Malleczewen's Bockelson: a tale of mass insanity*, org. e trad. George B. von der Lippe e Victoria M. Reck-Malleczewen, Nova York, Palgrave Macmillan, 2008.

15. Reck-Malleczewen, *Diary of a Man in Despair*, 229.

16. Ver Michael Burleigh, *The Third Reich: a new history*, Londres, Pan Books, 2000, 4-5.

17. Para uma esclarecedora exposição dos paralelos entre as políticas alemãs em relação aos povos herero e nama e o Holocausto, ver Edwin Black, "In Germany's Extermination Programme for Black Africans, a Template for the Holocaust", *The Times of Israel*, 5 de maio de 2016.

190 SETE TIPOS DE ATEÍSMO

18. Refiro-me basicamente ao historiador alemão Ernst Nolte, que sistematicamente ignorava as origens especificamente alemãs do nazismo e o caráter único do Holocausto e copiava a retórica nazista ao argumentar que os próprios judeus se constituíam como alvo porque alguns deles tinham participado de movimentos comunistas. Ver Ernst Nolte, *Three Faces of Fascism*, Londres, Weidenfeld & Nicolson, 1965.

19. Arthur Koestler, *Arrival and Departure*, Londres, Jonathan Cape, 1943, 42-44. Tratei do modernismo nazista em *Al Qaeda e o que significa ser moderno*, Rio de Janeiro, Record, 2004.

20. John Stuart Mill, *Auguste Comte and Positivism*, Ann Arbor, University of Michigan Press, 1973, 141, 170.

21. Ver Stanislav Andreski, *Social Sciences as Sorcery*, Londres, Penguin Books, 1975.

5. OS QUE ODEIAM DEUS

1. Citado in Simone de Beauvoir, "Must We Burn Sade?", in *The Marquis de Sade: an essay by Simone de Beauvoir*, com uma antologia de seus textos a cargo de Paul Dinnage, Londres, New English Library, 1972, 9.

2. Ibid.

3. Citado por Geoffrey Gorer in *The Life and Ideas of the Marquis de Sade*, Londres, Peter Owen, 1934, ed. revista e ampliada, Londres, Panther Books, 1964, 21.

4. Citado in ibid., 25.

5. Ibid., 44.

6. Marquês de Sade, *Dialogue between a Priest and a Dying Man*, in *Three Complete Novels and Other Writings*, Nova York, Grove Press, 1966, 173-175.

7. Citado por de Beauvoir, "Must We Burn Sade?", 41.

8. Ibid., 42.

9. Ibid., 39.

10. Marquês de Sade, *Juliette*, Grove Press, Nova York, 1968, 309.

11. Ibid., 411.

12. Marquês de Sade, *The 120 Days of Sodom and Other Writings*, Nova York, Grove Press, 1967, 364.

13. Sade, "Philosophy in the Bedroom", in *Three Complete Novels and Other Writings*, 319.

14. Ibid.

15. Sade, *Juliette*, 732.

NOTAS

16. Ibid., 772.

17. Sade, *The 120 Days of Sodom*, 72-73.

18. Theodor Adorno e Max Horkheimer, *Dialectic of Enlightenment,* trad. John Cumming, Londres, Verso Books, 1979, 118.

19. Nikolai K. Mikhailovsky, "Dostoevsky's Cruel Talent", in Fiodor Dostoievski, *Notes from Underground,* ed. e trad. Michael R. Katz, Nova York, W. W. Norton, 2001, 142.

20. Dostoievski, *Notes from Underground,* 23-25.

21. Ibid., 25.

22. Fiodor Dostoievski, *Winter Notes on Summer Impressions,* trad. Richard Lee Renfield, prefácio de Saul Bellow, Nova York, McGraw-Hill, 1965, 90-91.

23. Fiodor Dostoievski, *Demons,* trad. e notas de Richard Pevear e Larissa Volokhonsky, Londres, Vintage Books, 2006, 617-619.

24. Ibid., 402.

25. Ibid., 404-406.

26. Fiodor Dostoievski, *The Brothers Karamazov,* trad., introdução e notas de Richard Pevear e Larissa Volokhonsky, Londres, Vintage Books, 2004, 245.

27. Albert Camus, *The Myth of Sisyphus,* Londres, Penguin Books, 2005, 103.

28. Dostoievski, *Demons,* 616.

29. Dostoievski, *The Brothers Karamazov,* 258-262.

30. Ibid., 649.

31. L. Shestov, *All Things are Possible,* trad. S. S. Koteliansky, prefácio de D. H. Lawrence, Londres, Martin Secker, 1920, 81.

32. Dostoievski, *The Brothers Karamazov,* 245.

33. Vasily Rozanov, *Dostoevsky and the Legend of the Grand Inquisitor,* trad. e prefácio de Spencer E. Roberts, Ithaca e Londres, Cornell University Press, 1972, 115.

34. William Empson, *Milton's God,* Cambridge, Cambridge University Press, 1981, 260.

35. Ibid., 268.

36. Ibid., 251.

37. Ibid., 260.

38. Ibid., 259.

39. Para um esclarecedor exame das religiões e heresias dualistas, ver Yuri Stoyanov, *The Other God: dualist religions from antiquity to the Cathar heresy,* New Haven e Londres, Yale University Press, 2000.

40. Empson, *Milton's God*, 248.
41. Ibid., 250.
42. Ibid., 246.
43. Ibid., 251.
44. Ibid., 255.
45. Ibid., 249.
46. Ibid., 251-252.
47. Trato mais aprofundadamente dos astecas em *A alma da marionete: um breve ensaio sobre a liberdade humana*, Rio de Janeiro, Record, 2018.
48. Empson, *Milton's God*, 62.
49. Ibid., 64, 65.
50. William Empson, *The Face of the Buddha*, org. Rupert Arrowsmith, Oxford, Oxford University Press, 2016.
51. William Empson, *The Complete Poems*, org., introd. e notas de John Haffenden, Londres, Penguin Books, 2001, 3.
52. William Empson, *The Structure of Complex Words*, Chatto & Windus, Londres, 1951, 421.
53. Empson, *Milton's God*, 246.
54. Nicolas Berdyaev, *The Destiny of Man*, Nova York, Harper & Brothers, 1960, 26.

6. ATEÍSMO SEM PROGRESSO

1. Citado in Anthony Woodward, *Living in the Eternal: a study of George Santayana*, Nashville, Tennessee, Vanderbilt University Press, 1988.
2. John McCormick, *George Santayana: a biography*, Nova York, Paragon House, 1987, 391.
3. Citado in Woodward, *Living in the Eternal*, 110.
4. McCormick, *George Santayana*, 370-371.
5. Ver ibid., 471-472, 504.
6. "On my Friendly Critics", in George Santayana, *Soliloquies in England and Later Soliloquies*, com nova introdução de Ralph Ross, Ann Arbor, University of Michigan Press, 1967, 246.
7. George Santayana, *Three Philosophical Poets*, Nova York, Doubleday, 1953, 183.
8. George Santayana, *Dominations and Powers: reflections on liberty, society and government*, Clifton, Nova Jersey, Augustus M. Kelley, 1972, 17-20.
9. Santayana, *Soliloquies in England*, 251.
10. Santayana, *Dominations and Powers*, 462.

NOTAS

11. Ibid., 94.

12. Ibid., 340.

13. George Santayana, *Platonism and the Spiritual Life*, Nova York, Charles Scribner's Sons, 1927, 3.

14. Ibid., 231-232.

15. Para a crítica de Russell em Santayana, ver George Santayana, "The Philosophy of Bertrand Russell", in *Winds of Doctrine*, Nova York, Harper Torchbooks, 1957, 138-154.

16. Marcel Proust, *Remembrance of Things Past*, vol. 1: *Swann's Way*, trad. C. K. Scott Moncrieff, Londres, Vintage Classics, 1966, 51.

17. George Santayana, *Scepticism and Animal Faith*, Nova York, Dover Publications, 1955, 75.

18. Para um exame do débito de Santayana para com a filosofia sanquia, ver Woodward, *Living in the Eternal*, 98-101.

19. George Santayana, *Realms of Being: one-volume edition with a new introduction by the author*, Nova York, Cooper Square, 1972, 741-742.

20. Santayana, *Platonism and the Spiritual Life*, 89.

21. Ibid., 85.

22. Ibid., 312.

23. Jeffrey Meyers, *Joseph Conrad: a biography*, Londres, John Murray, 1991, 115.

24. Ibid., 51, 115.

25. Citado in Cedric Watts, *A Preface to Conrad*, 1ª ed., Londres e Nova York, Longman, 1993, 7.

26. Joseph Conrad, "An Outpost of Progress", in Joseph Conrad, *The Nigger of the Narcissus and Other Stories*, org. J. H. Stape e Allen H. Simmons, introdução de Gail Fraser, Londres, Penguin Books, 2007, 235-236.

27. Ver Meyers, *Joseph Conrad*, capítulo Dezesseis, Apêndices 1 e 2.

28. G. Jean-Aubry, *Joseph Conrad: life and letters*, vol. 1, Londres, Heinemann, 1927, 141.

29. Ian Watt, *Conrad in the Nineteenth Century*, Berkeley, University of California Press, 1979, 139.

30. Bertrand Russell, *The Autobiography of Bertrand Russell*, vol. 2: *1914-1944*, Londres, George Allen & Unwin, 1968, 161.

31. Citado in Watts, *A Preface to Conrad*, 57.

32. Ibid., 48.

33. Joseph Conrad, *The Shadow Line*, Oxford e Nova York, Oxford University Press, 1992, xxxvii—xxxviii.

34. Joseph Conrad, *Victory: an island tale*, introd. John Gray, notas e apêndice de Robert Hampson, Londres, Penguin Books, 2015, 408.
35. Watts, *A Preface to Conrad*, 65.
36. Ibid., 80.
37. Ibid., 78.
38. Ibid., 342.
39. Arthur Schopenhauer, *The World as Will and Representation*, vol. 1, trad. E. F. J. Payne, Nova York, Dover Publications, 411-412.
40. Bertrand Russell, *The Autobiography of Bertrand Russell*, vol. 1: *1872-1914*, Londres, George Allen & Unwin, 1967, 9.
41. Citado in Watts, *A Preface to Conrad*, 76-77.
42. Joseph Conrad, *The Nigger of the Narcissus*, ed. e introdução de Jacques Berthoud, Oxford e Nova York, Oxford University Press, 1984, 90.

7. O ATEÍSMO DO SILÊNCIO

1. Arthur Schopenhauer, *The Wisdom of Life and Counsels and Maxims*, Nova York, Prometheus Books, 1995.
2. Arthur Schopenhauer, *Parerga and Paralipomena: short philosophical essays*, vol. 2, trad. E. F. J. Payne, Oxford, Clarendon Press, 393.
3. Trato de Mauthner em *O silêncio dos animais: sobre o progresso e outros mitos modernos*, Rio de Janeiro, Record, 2019, 96-101. Um estudo abrangente da obra de Mauthner pode ser encontrado in *Mauthner's Critique of Language*, de Gershon Weiler, Cambridge, Cambridge University Press, 1970.
4. Benedict de Spinoza, *Ethics*, org. e trad. Edwin Curley, introdução de Stuart Hampshire, Londres, Penguin Books, 1996, 176-177, 169.
5. Citado in Stuart Hampshire, *Spinoza and Spinozism*, Oxford, Clarendon Press, 2005, 23.
6. L. Kołakowski, "The Two Eyes of Spinoza", in *Spinoza: a collection of critical essays*, org. Marjorie Green, Nova York, Anchor Books/Doubleday, 1973, 286.
7. George Santayana, "Ultimate Religion", in *The Philosophy of George Santayana*, org. e ensaio introdutório de Irwin Edman, Random House, Nova York, 1936, 587-588.
8. Ver Jonathan Israel, *Radical Enlightenment: philosophy and the making of modernity, 1650-1750*, Oxford, Oxford University Press, 2001.
9. Benedict de Spinoza, *A Theologico-Political Treatise and A Political Treatise*, trad. do latim de R. H. M. Elwes, com nota biográfica de Francesco Cordasco, Nova York, Dover Publications, 1951.

NOTAS

10. Pode haver paralelos entre a ideia de liberdade interior em Spinoza e certas tradições religiosas orientais. Para uma comparação com o zen-budismo, ver Paul Wienpahl, *The Radical Spinoza*, Nova York, New York University Press, 1979.

11. Lev Shestov, *Athens and Jerusalem*, trad. e introd. de Bernard Martin, Nova York, Simon & Schuster, 1968, 69.

12. Ibid., 431-432.

13. George Santayana, *The Sense of Beauty*, Londres, Constable, 1922, 142.

14. Lev Shestov, *Dostoevsky, Tolstoy and Nietzsche: the Good in the teaching of Tolstoy and Nietzsche*, trad. Bernard Martin, e *Dostoevsky and Nietzsche: the philosophy of tragedy*, trad. Spencer Roberts, introdução de Bernard Martin, Athens, Ohio, Ohio University Press, 1978.

15. Shestov, *Athens and Jerusalem*, 393.

16. Leo Shestov, *All Things are Possible*, trad. autorizada de S. S. Koteliansky, prefácio de D. H. Lawrence, Londres, Martin Secker, 1920.

17. Para uma antologia de poemas de Fondane, ver *Cinepoems and Others*, org. Leonard Schwarz, Nova York, New York Review of Books, 2016.

18. Pelos detalhes sobre a vida e a morte de Fondane, sou grato a Bruce Baugh, *Introduction to Existential Monday: philosophical essays*, org. e trad. Bruce Baugh, Nova York, New York Review of Books, 2016, vii-xxxv.

19. E. M. Cioran, "Benjamin Fondane, 6 Rue Rollin", in *Anathemas and Admirations*, trad. Richard Howard, Nova York, Arcade Publishing/Little, Brown, 1991, 218.

20. Ibid., 220.

Este livro foi composto na tipografia
Minion Pro, em corpo 11/15, e impresso
em papel off-white no Sistema Cameron
da Divisão Gráfica da Distribuidora Record.